5 4 6 3 42 20 10 45 120

rack one's brains

suerte que fortunate

empeñado en merecer

1,100 = mil
900 = novecientos
40 = cuarenta
6 = y seis

flaqueza - weakness

SUEÑO DE UNA NOCHE DE AGOSTO

POR

G. MARTINEZ SIERRA

EDITED WITH INTRODUCTION, NOTES AND VOCABULARY

BY

MAY GARDNER

AND

ARTHUR L. OWEN

OF THE DEPARTMENT OF SPANISH
UNIVERSITY OF KANSAS

NEW YORK
HENRY HOLT AND COMPANY

PRINTED IN THE
UNITED STATES OF AMERICA

To

MARIA DE MAEZTU

PREFACE

THE text of the present edition of *Sueño de una noche de agosto* is taken from the *Obras completas de G. Martínez Sierra*, Madrid, 1920, with the correction of obvious misprints and the omission of a few unimportant lines. The light and amusing character of the play is calculated to appeal to young readers, and the edition has accordingly been prepared with a view to the needs of students who have had little experience with Spanish reading texts. The Vocabulary seeks to be complete and will perhaps be found to contain unusually full English equivalents for the Spanish words and phrases. In the judgment of the editors the play may be read without too great difficulty by students in their second college semester or second high school year of Spanish study. It is hoped that the Notes explain sufficiently the few grammatical points not covered by the usual elementary grammars. The Introduction aims to give a beginner some idea of the position of the author in contemporary Spanish letters.

The editors wish to express their cordial appreciation of the generous courtesy of Señor Martínez Sierra and Mr. H. Granville-Barker, the play's English translator, who were so kind as to authorize the making of this edition.

M. G.
A. L. O.

INTRODUCTION

The close of the [illegible]
ning of the [illegible]
in Spanish literature. A [illegible]
animated by a [illegible]
liberty and [illegible]
century. In [illegible]
came the dominant [illegible]
sent his own [illegible]
few authors is given [illegible]
almost as many [illegible]
common ground [illegible]
for individual [illegible]
new century has [illegible]
and richness of [illegible]
works markedly [illegible]
duced in the field of [illegible]
In the drama [illegible]
manifest in all [illegible]
age, each author [illegible]
The new drama [illegible]
the complex situations, the [illegible]
the artificiality and the [illegible]
ceding epoch, which had, however, [illegible]
exponent, José Echegaray. [illegible]
the essentials of the art [illegible]
and declamatory speeches [illegible]

INTRODUCTION

THE close of the nineteenth century and the beginning of the twentieth witnessed a decided renovation in Spanish literature. A new generation of writers, animated by a desire for innovation, for individual liberty and originality, came into being with the new century. In all fields of literature individualism became the dominant note, each author seeking to present his own vision of the world's truth. Since to very few authors is given the same vision, there have been almost as many tendencies as authors. The one common ground has been the desire in each author for individual freedom. Thus the first quarter of the new century has been notable for the great variety and richness of its literary production. Some great works, markedly original in character, have been produced in the fields of poetry, the novel and the drama.

In the drama certain innovations are more or less manifest in all writers, but true to the spirit of the age, each author has his own individual characteristics. The new drama abandoned the extreme forms of action, the complex emotions, the conflict of violent passions, the artificiality and the rhetorical effects of the preceding epoch which had brought renown to their chief exponent, José Echegaray. Truth and naturalness were the essentials of the new theatre, action was minimized and declamatory speeches gave way to an extremely natural dialogue. The stage began to reflect life as it is in its everyday forms, not in its passionate manifestations. Jacinto Benavente was the dramatic writer who from the beginning followed the new trend in the theatre and earned the title of creator of the contemporary drama. With a technique developed from a study of the foreign theatre and a marvellous talent for using it to portray the foibles of society, he easily assumed the leadership of the new generation. Those who followed Benavente in the theatre are in a sense his disciples, but while they learned from him in technique, each one represents an original tendency and an individual development. Each one of the figures who have brought distinction to the Spanish stage in this epoch, the Quinteros, Linares Rivas, Eduardo Marquina and Martínez Sierra, has made a distinct contribution.

Of the contemporary Spanish dramatists, Martínez Sierra is one of the best known outside of Spain. Thanks to the excellent translations of Helen and Harley Granville-Barker and of John Garrett Underhill a number of his plays have been made known to English readers, and several have been seen on the English-speaking stage. School editions of various plays have made his name familiar to American students.

Martínez Sierra is one of those who learned dramatic technique from the master Benavente but one who has introduced his own original note into the plays he has written. It is a certain poetic note of idealism, of love of life, a certain tendency to a more romantic art which gives to his work its character.

Gregorio Martínez Sierra is a product of the city, having been born in Madrid in 1881. There in the company of the restless youth awakening to the dawn of a new century he received his training. Of sensitive artistic nature, his youthful longings seemed to find little satisfaction in school and he abandoned the university when scarcely within its portals. In writing, alone, did he find an outlet for the yearnings of his artistic soul and for his growing enthusiasm for the beauties of nature and of life. To be a poet was his ambition, for in him had been born again the old romantic conception that poetry is life. At seventeen he found his dreams in *El poema de trabajo*, a lyrical prose work which he carried to Benavente, who was already a writer of reputation. So full of promise did the work appear that the older man not only honored its publication with a foreword, but to the young author he accorded his friendship and counsel. The next year, 1899, appeared *Diálogos fantásticos*, a symbolic work in which fairies, muses, queens, plants and flowers pass in procession. This work won for him a kindly preface from the poet Salvador Rueda who saw in his symbolic conceptions the work of an original thinker and in his diaphanous, poetic style, an artist in expression. In 1900 appeared *Flores de escarcha*, poems written in free verse because as he tells us,* his muse had not granted him the gift of rhyme.

These early efforts brought him a place in the group of young writers of 1900 who, like himself, were seeking along individual paths the truest forms of art. Par-

* *Dedicatoria a Salvador Rueda.*

ticular friends were the new poets, among them the two Machados, Eduardo Marquina and Juan Ramón Jiménez. With the latter he lived for a time and the delicate poetry of that purest of lyricists left its lasting impression on his style, already so lyrical. Another friend was the Catalonian Santiago Rusiñol, writer and painter in whom he found a great kinship of ideas, and whose works he translated from the original Catalán. The Quintero brothers, already beginning to win success with their plays of Andalusian customs, were also friends and counselors of the young writer.

The theatre early had an attraction for him. At eighteen he began scribbling plays, but not until he had proved himself in poetry and the novel was he to enter seriously upon his chosen field. In 1900 he published his first story, *Almas ausentes*. This was followed during the next few years by *Horas de sol*, *Pascua florida*, *Sol de la tarde* and *La humilde verdad*. With the publication in 1905 of *La humilde verdad*, Martínez Sierra's reputation as a novelist was on firm ground. Later novels, *Tú eres la paz* and *El amor catedrático* and many shorter stories would have assured him a position as a novelist had his dramatic work not overshadowed them.

All the poetic nature of Martínez Sierra is in the lyrical prose of these novels. Vivid phrases give color and life to the simplest picture. He delights in the use of choice words. Noble words are to him as seed to germinate noble ideas. "I enjoy," he says,* "repeating beautiful words as I enjoy looking at the flowers." There are lovely descriptions filled with the emotion of

* *Motivos, p. 173.*

the landscape and the reaction of his soul to its beauties. He finds a kinship with all things in nature, the trees, the flowers, the sky and the sea. Beauty is essential to him and he finds it more real than the sordid things of life. Vice is ugly and he will not let it dominate a picture. Life for him has a smiling aspect and never does he forsake his optimistic belief and faith in human nature. He sees the noble passions which exalt the human soul rather than the vices which degrade it. For Pío Baroja, the great novelist, painter of the lower classes, he feels deep sympathy because he sees him condemned eternally to look at the world through smoked glasses.

Encouraged by his poet friends, Martínez Sierra wrote one volume of real verse, *La casa de la primavera.* It is a song of the joys and happiness of life — the optimistic outburst of a sensitive personality. The inspiration of this volume was María de la O Lejárraga, who had become his wife and who became an important collaborator in the dramatic work which has brought fame to his name. For neither in the novel nor in verse was Martínez Sierra to find his life work. In the writing and producing of plays he discovered his real vocation. Not, however, until his artistic talents had become developed and certain in the other fields, and only after many discouraging attempts at play-writing did he meet success in the theatre.

Much of the novelistic work of Martínez Sierra contains dramatic dialogue, so it is not surprising that the first dramatic work to appear should be half story, half play, and should appear in book form rather than on the stage. Grouped together under the title of *Teatro de ensueño* were published in 1905 four fantastic little tales in dramatic form. They contain some of the author's most poetic descriptions, much of his romantic idealism and not a little symbolism. One notes in the delicate sensitive imagery of *Teatro de ensueño* a suggestion of the Belgian poet Maeterlinck. In fact, Martínez Sierra is the Spanish author who most nearly resembles Maeterlinck in his conception of life. Certainly the mystic note which is sometimes struck in the work of Martínez Sierra finds frequent harmony in the mysticism of the Belgian poet.

The first acting play to bear the name of Martínez Sierra was *Vida y dulzura* written in collaboration with his friend, Santiago Rusiñol, who was sufficiently well known in the theatre to win a hearing for their work. After this followed two individual efforts, *Juventud, divino tesoro* and *Hechizo de amor*, a poetic puppet play not lacking in lyrical charm.

Not finding success in the realm of the fantastic, he began following more earthly paths and in 1909 produced *La sombra del padre*, a realistic picture of family life. With this play Martínez Sierra makes what he calls his decisive entrance into the theatre. The next year saw the production of *El ama de la casa*. These two plays show a rapidly developing stage technique and are quickly followed in the next few years by the plays which have brought fame to the name of Martínez Sierra. In the year 1911 appeared *Canción de cuna*. The same year witnessed *Primavera en otoño*. *Mamá* and *Madame Pepita* appeared in 1912, *Madrigal* and *Los pastores* in 1913, *La mujer del héroe* in 1914, *Amanecer* and *El reino de Dios* in 1915, *Navidad*, a miracle play, in 1916, *Esperanza nuestra* in 1917, *Sueño de una noche de agosto* in 1918, *Corazón ciego* in 1919, *Don Juan de España* in 1921, *Mujer* in 1924. All these are plays of two or three acts. During the same period of years have been presented several one-act plays, among the best *Lirio entre espinas*, *El pobrecito Juan*, *El enamorado*, *Rosina es frágil* and *El palacio triste*.

In addition there have been musical comedies, *La llama*, *Las golondrinas*, *La tirana*, *Margot* and others written in collaboration with Spain's best known musicians, and a little fantasy *El amor brujo* (written for the dancer Pastora Imperio) which found its inspiration in the songs of Andalucía. The list of original plays numbers forty or more and includes almost every variety of dramatic production. In addition to the original plays there are as many more translations from English, French and Russian. Among the English plays are several from Shakespeare, Dickens' *Cricket on the Hearth*, Bernard Shaw's *Pygmalion*, Barrie's *The Admirable Crichton* and *Mary Rose* (*Mari-Luz*).

The plays which have brought distinction to Martínez Sierra are the comedies of manners. These plays are essentially realistic, modern in subject and about people we seem to know, but at the same time they have an idealistic character which places them a little apart from the other realistic productions of the period. Real life is reflected in their scenes, life which is sincere, full of tender feelings and simple emotions. They picture a world in which reign not great passions but nobility, generosity and the finer qualities of human beings, a world in which simple virtues triumph over human weaknesses and happiness comes from well-doing. It is a world in which work is the joy of life and where there is still faith in dreams. Love, human and ideal, pervades the atmosphere and we are taught to believe that life is sweet and worth living. The plays are rarely concerned with a thesis and our souls are never left with the torment of unsolved problems. They always end happily because human nature can be counted upon to choose the right way in the end. An abundance of sentiment fills the plays but surprisingly enough, without undue sentimentality. In spite of a somewhat ideal atmosphere we move in a world intensely real. The scenes are as events passing before our eyes, with nothing foreign to the event finding a place in the picture. They are simple, natural and easy to understand. Plots are of small importance and factitious device entirely absent. The dialogue is sparkling and lively, but written with fine taste and free from vulgarity. It is the clever language of the people of Madrid. The action is simple and rapid. There is never anything superfluous in it. Scenes are not complicated by the crowding in of unnecessary figures. Each figure stands out in relief against a simple background. One has only to read the multiplicity of stage directions to realize how well the art of acting is understood by the author, how carefully all effects have been thought out and how carefully every sensation of the characters has been analysed and given the proper expression.

The theme of the comedies is usually some phase of married life and the power of women to control the destinies of the home. The same ideas are frequently repeated but there is no monotonous similarity among the plays. While the background is often the family living-room the characters are always new and the scene varied. A glance at the subject matter of a few of the plays will show that the action rarely fails to revolve about some woman character who by her innately feminine qualities brings happiness to those around her.

A young woman becomes the second wife of a widower with a son and two daughters. The son falls in love with her, the daughters hate her. Very skilfully she proves to the one that a career has more charms than a foolish love affair and to the others their need of loving counsel. (*El ama de la casa.*)

The needs of a daughter bring an opera-singing mother back to the fireside after triumphal tours and the daughter's love proves sweeter than the plaudits of the world. (*Primavera en otoño.*) Another mother finds that joys beyond the family circle are vain illusions and again a daughter's needs reunite a household. (*Mamá.*) A young girl picks up her fallen idol, the lover broken by wanderings from home, and with the simple charms of her pure young womanhood restores him and saves him from the arms of an adventuress. (*Madrigal.*)

While usually it is woman's work to save the family happiness, once it falls to a father, returning from a fortune-making absence, to work the miracle of reorientation in a misdirected family. (*La sombra del padre.*)

Sometimes the woman brought up to a life of ease is called upon to save the family when financial reverses come. How well she meets the situation! In *Amanecer* a young girl trained to wealth finds, when necessity demands, that she is capable of supporting the family with her work. Later, in a moment of discouragement, she marries for money and is miserably unhappy until the money is lost. She finds happiness only when a dream of work shared with her husband comes true.

Not infrequently do we meet the idea that joy comes when husband and wife both work, that the wife is the intellectual equal of her husband and should be his helper in whatever he undertakes. In *Corazón ciego* real happiness comes to María Luisa only when she can work side by side with her husband.

Other plays take us into different classes of society, but the power of woman rarely fails to dominate. Sometimes we have a picture of the woman of the working class and see how capable she is in business. Madame Pepita has worked her way up to the ownership of a smart dressmaking establishment and has money to loan to a less successful nobility. In another play the background shifts to a laundry and another type of woman pays the bills. This time it is the little laundress of Madrid, simple, generous of heart and honest, whose work not only supports a famous husband but whose cleverness knows how to hold him. (*Mujer del héroe.*)

Again the scene changes to a convent. A baby girl

is left at the door. All the mother love hidden in the hearts of the simple nuns bursts forth to envelop the tiny foundling. The play is the simple story of the girlhood of this orphan brought up within the convent walls, but the result is a dramatic creation of deepest emotional reality. (*Canción de cuna.*)

Occasionally there is a gently ironic picture. A little nun falls into a house of ill-repute and by her simple purity and her love for suffering humanity transforms for a day, alas for a day only, a little world of evil doers. (*Lirio entre espinas.*) Or it is an old priest who drags his flock into the paths of righteousness only to have their smug contentment crowd him aside. (*Los pastores.*)

In a few plays a social aspect is given to the picture and the canvas is broadened to bring in the ideas for the amelioration of the world of an author concerned with having it a good place to live in. We see the wrongs of the laboring man in a world of injustice but we see arise in the center of the picture a young Lorenzo typifying the youth who will work for the regeneration of Spain. (*Esperanza nuestra.*)

Again in the most striking series of pictures which the theatre of Martínez Sierra has furnished we see the life of a nun devoted to relieving the suffering of the world, first in an old people's home, next in a refuge for unfortunate women and last in an orphanage. All the outcasts of the world are thrown upon the canvas but the picture is not devoid of hope. Guided by a woman's hand the young orphans must grow into men who will correct the abuses of society, then there will be no further need for asylums for the poor. Sor Gracia, the ministering angel of this suffering world, is a wonderful creation of perfect though very human womanhood. (*Reino de Dios*.)

There are really no great characters in the plays but all are very human and frequently lovable. To whatever class of Spanish life they may belong, they are in faithful harmony with their surroundings. We know that Martínez Sierra likes his characters because he makes us understand them and like them. He has the gift of letting us see their innermost soul, making them so real to us that we forget we are in the theatre. If he ever treats them ironically he does it so gently and with such subtlety that he seems to add rather than detract from our affection for them. Whatever he sees in them he paints with an unfailing sureness of touch. So accurate is he in characterization that the most insignificant character who walks across the stage leaves the impression of a distinct personality.

Women, as has been said, are objects of special interest in all the plays. They are women who are essentially Spanish in all their characteristics, but modern in their point of view. They are women who find their greatest happiness in being good wives and mothers but who demand and achieve a position of equality with their husbands. They are women with joyful natures, with a love of life and humanity, women to whom one can go for consolation. They are better than men and they inspire men to better things. They have developed their talents through education and are the intellectual companions of their husbands. They are women who have learned that a man respects them more if they are capable of earning their own living. They believe, with Carmen,* that they have committed the greatest crime a woman can commit if, having been given hands to work and strength to earn a living, they marry for money. They are not afraid to look at the world face to face, and to make the best of life. If, as Mercedes,† they are heedless women running up bills without knowing where the money comes from to pay them, they are only proof that women must know about their husbands' business if they are to take money matters seriously. And if they are forever seeking pleasures away from home they will only find disappointment. Only as wives and mothers will they be happy.

If they are young, and the Martínez Sierra theatre is filled with charming girls of eighteen or twenty, they are independent, self-sacrificing, self-respecting, serene in their ability to take care of themselves. If they are a bit frivolous in the beginning, as is natural, they become serious in the moment of necessity. Here is the new young woman of Spain, who is no longer waiting at the balcony window for a lover, but is studying, working, realizing that she is far happier alone than married to one she knows nothing of. Not that in her newly acquired independence she is expecting to find greater happiness outside of married life, but she will hesitate to marry until she is sure of being happy.

Old ladies are particularly delightful in the plays.

* *Amanecer, Act II.* † *Mamá.*

At ninety they are still making witty comments on life and understanding youth with a keenness not usually credited to our grandmothers.

Men in the Martínez Sierra theatre are frequently weak, especially the younger ones. So interested is the author in feminine psychology that he has given too little attention to the men. They suffer in contrast with the ideal character of the women. They are rarely of strong personality, but are as foils in the hands of the feminine characters. They are easily swayed for good or evil and are in constant conflict between love of home and the lure of the outside world. They are frequently selfish, looking only for their own pleasure or advantage. It is not given to them as to women to understand the true meaning of love, but they have a purity in their natural feelings to which women can appeal. Hence the great responsibility of women and the opportunity given her to develop into an ideal character.

Among the older men there are a few likable characters. The old doctor of *Canción de cuna;* Don Antonio, the old priest of *Los pastores;* Don Guillermo who will not let Madame Pepita's daughter live the crime of ignorance; Don Julian of *Amanecer*. These are all fine Spanish types. There is also the young protagonist of *Esperanza nuestra* who helps to redeem the impression of a weak young manhood.

The present comedy embodies many of the characteristics of Martínez Sierra's work but is written in too light a vein to rank among his best plays. It is, however, so amusing that it never fails to delight and entertain an audience. The dialogue is very sprightly and clever, full of the idiom of daily life, the action is rapid and the characterization excellent. Rosario, the protagonist, wishes to go out into the world in search of something to fill the longing of her soul. It is the romantic longing of a delicately reared girl who has seen the world largely through the eyes of three lively brothers and through the pages of sentimental novels. Almost a modern girl, she thinks her soul's happiness will come only with independence, but love blows in at the window and in the awakening of love she finds her soul filled with joy and hope.

Doña Barbarita is one of the delightful creations of Martínez Sierra. At eighty she knows the heart of youth better than does youth itself. With the passing years she has lost none of her grace and coquetry and her mind still sparkles with delicious wit. El Aparecido is an adequate portrayal of the lionized author who finds himself at last sincerely in love with a refreshingly sweet and pretty young heroine.

The minor characters fit admirably into the picture. Although the three brothers never stay at home, their brief comings and goings leave us with a clear impression of their lively personalities. Don Juan and Amalia seem to have stepped out of the street in their true characters of fatuous middle-aged gallant and spoiled stage beauty. The comedy is very light, but it achieves without difficulty its very delightful purpose of being entertaining.

Besides writing, Martínez Sierra has engaged in the editing of various periodicals and collections of artistic works, notably the *Biblioteca Estrella*. He also founded the publishing house *Renacimiento*. Since 1916 he has been director of his own theatre in Madrid. Hardly less interesting than Martínez Sierra, playwright, is the impresario of the Eslava theatre and the Compañía lírico-dramática Gregorio Martínez Sierra. Though a small and unpretentious theatre in a side street, the stage of the Eslava is the most artistic in Madrid and the company one of the best. Here Martínez Sierra enjoys the perfect freedom of producing what he likes in his own way. He is constantly trying new things because he has the true artist's spirit, never satisfied, but always hoping to find the right way. As a theatre director he has been concerned naturally with practical things but his innate characteristics of delicacy and love of poetic beauty have made him seek beautiful rather than successful stage production. Never has he been willing to sacrifice beauty to practical detail. He has great faith in his audiences. He is sure that the public is capable of enjoying pure art in any form of dramatic production. He does not believe that absolutely realistic representations are artistic but finds in illusion the essence of the stage. As a stage director he is very advanced for Spain. He tries striking effects in decoration and lays great stress upon the importance of color on the stage. This desire to find something new and more artistic accounts for the great diversity of his own productions for the theatre, the musical plays, the ballets, the strong one-act plays and plays with a broad canvas like *Reino de Dios* or the miracle play *Navidad*, and revivals of old Spanish plays such as Moreto's *La adúltera penitente.* Not only are his own plays given in Eslava but many from other writers are given their first presentation there. The poetic dramas of Eduardo Marquina have frequently found artistic interpretation on the Eslava stage. In his eagerness to find a perfect form of art he has extended the hospitality of his theatre to all manifestations of art from foreign countries. Many plays which have been translated by María de Martínez Sierra have been seen on the Eslava stage.

Married when barely twenty Martínez Sierra has had throughout the greater part of his literary career the collaboration of his wife, whom he has rightly called his best friend. While her name never appears on a title page her ideas of womanhood and her feminine understanding of women are to be felt on every page. Much of the actual writing has been done by her. When one realizes that two very different personalities have contributed to the work which bears the name of Gregorio Martínez Sierra, one understands the combination of actuality and ideality one finds in it, one understands the grasp with which the smallest shade of women's changing moods is interpreted.

María de Martínez Sierra is a very brilliant Spanish woman but in temperament quite different from her husband. She is very simple and practical in her tastes, not at all poetic or avid of beauty. With him it is art for art's sake, with her there is a message to deliver. María de Martínez Sierra is a great feminist and has been a leader in the movement in Spain for a more enlightened womanhood. She believes in the rights of women in modern society and in their duties toward it. She has done more than any other Spanish woman to awaken in her country-women a sense of their civic responsibilities and the necessity for their co-operation in public affairs. She is an active propagandist for the revision of certain old laws which no longer meet the needs of society. She realizes that the women of her country have suffered from the binding conventions of an ancient social system and that many old customs should now be changed. More normal social relations should be established between the sexes. Young men should be received within the home, not merely at the *reja*. She believes in the power of the home and that it is the mission of woman to extend it. Many of her ideas come from her knowledge of foreign countries. She knows several languages and is a great reader. She has represented Spain at some of the International Congresses of women.

One easily divines that the poetic mind which conceived *Teatro de ensueño* became a feminist because of her and one understands why the women of the Martínez Sierra theatre have brains and are the intellectual equals of their husbands, why frivolity is frowned upon, and women find their true happiness in upholding the ideals of family life and correcting the abuses of society. Many of the ideas which found expression in the plays have been repeated on the lecture platform, where both of the Martínez Sierras frequently appear, and in the series of prose works, *Cartas a las mujeres de España* (1916), *Feminismo, feminidad, españolismo* (1917), *La mujer moderna* (1920). These works have had great influence in the spread of the feminist movement in Spain.

It is to be hoped that much work may yet come from these two brilliant minds and one may hazard the opinion that their splendid optimism, their sane views of life and the delicate charm of their style will assure them a place in the literary history of Spain.

M. G.

SUEÑO DE UNA NOCHE DE AGOSTO

NOVELA CÓMICA EN TRES PARTES

Estrenada en el Teatro Eslava el día 20 de Noviembre de 1918

REPARTO

PERSONAJES	ACTORES
ROSARIO (23 años)	Catalina Bárcena
DOÑA BARBARITA (80 años)	Ana Siria
MARÍA-PEPA (78 años)	Ana María Quijada
IRENE (22 años)	Josefina Morer
AMALIA (30 años)	Carmen Carbonell
EL APARECIDO (37 años)	Francisco Hernández
EMILIO (29 años)	Luis Peña
MARIO (27 años)	Manuel Collado
PEPE (21 años)	Jesús Tordesillas
DON JUAN (50 años)	Ricardo de la Vega
GUILLERMO (50 años)	Juan M. Román

ACTO PRIMERO

Despachito de estudiante con aficiones literarias, modesto, pero amueblado y dispuesto con buen gusto. Hay una mesa con papeles, revistas, alguna estatuilla, tiesto en flor, etc.; una gran estantería llena de libros; un sillón cómodo, una meridiana
5 o un gran sofá apoyado en la mesa; sillas; algunas estampas y grabados de poco precio, pero de buen gusto, por las paredes. Puertas al fondo y a la derecha: la de la derecha se supone que es la de la alcoba, la del fondo es la comunicación con el resto de la casa. A la izquierda gran ventana: se supone que
10 es de un piso bajo, y está, por lo tanto, muy cerca de la calle. En la ventana uno o dos tiestos con flores. Aparato de luz eléctrica colgado del techo; otro portátil, con pantalla azul, sobre la mesa, de modo que su luz sirva para leer a la persona que esté sentada o tendida en el sofá, y que pueda apagarse
15 desde allí mismo, sin moverse. Reloj de pared o sobre una chimenea que puede haber en la pared de la derecha primer término.

Al levantarse el telón, Pepe, muy compuesto en traje de etiqueta, pero sin haberse puesto aún el smoking,
20 *está en pie delante de un espejito que hay en la pared o delante del espejo de la chimenea intentando ponerse la corbata, con no muy buen éxito; Emilio, sentado a la mesa, escribe una carta y da muestras de impaciencia, porque la pluma y la tinta no marchan*
25 *como él desearía, y revuelve los papeles de la mesa para buscar un plieguecillo de papel con que sustituir el que acaba de emborronar.*

PEPE. (*Con impaciencia.*) ¡ Esta corbata ! (*Llamando.*) ¡ Rosario ! ¡ Rosarito ! ¡ Rosario !

ROSARIO. (*Dentro.*) ¡ Ya voy !

EMILIO. ¡ Qué pluma . . . qué tinta . . . ! ¡ nada, un borrón . . . ! Pliego estropeado . . . Pero ¿ dónde hay un papel de cartas ? ¡ Rosario ! ¡ Rosarito !

ROSARIO. (*Dentro.*) ¡ Voy ! ¡ Voy ! (*Entrando.*) ¿ Qué pasa ?

PEPE. A ver si puedes hacerme esta corbata.

EMILIO. (*Al mismo tiempo.*) A ver si puedes buscarme un plieguecillo de papel de escribir . . .

ROSARIO. (*Cariñosa, a Pepe.*) Trae acá desmañado . . . ¡ Uf, qué hombres ! (*Le hace el lazo.*)

EMILIO. Claro, al benjamín siempre se le atiende el primero . . .

ROSARIO. Porque es el primero que ha pedido auxilio . . . (*A Emilio.*) Haz el favor de no revolver los papeles, que se va a enfadar Mario . . . (*A Pepe.*) Ya está.

EMILIO. Que se va a enfadar Mario . . . y si se enfada, ¡ menuda catástrofe ! Como es el preferido, el amo de la casa . . .

ROSARIO. De la casa, no; pero de la mesa, sí . . . y del despacho . . .

EMILIO. ¿ Y se puede saber por qué nuestro señor hermano tiene derecho preferente a la posesión del único despacho de la casa ?

ROSARIO. Porque es el único que escribe en él, ¡ ea !

EMILIO. Y yo ¿ qué estoy haciendo ?

ROSARIO. Escribir a la novia no es escribir . . . (*Buscando en la mesa, con orden y de prisa.*) Toma: papel, sobre, pluma, secante, sello. ¿ Quieres que te dicte la carta ?

EMILIO. No, gracias . . .

ROSARIO. Menos mal . . .

PEPE. (*Que anda, con su smoking en la mano, de un lado para otro.*) ¿ Y el cepillo ?

ROSARIO. (*Entrando en la alcoba y saliendo en seguida con un cepillo en la mano.*) Aquí está.

PEPE. En esta casa nunca se encuentra nada.

ROSARIO. Porque no se busca donde debe estar. ¿ A quién se le ocurre venir aquí a vestirse ? ¿ No tienes tu alcoba ?

PEPE. (*Mirándose al espejo.*) Sí; pero en la alcoba no se ve bien . . .

ROSARIO. Mucho te compones tú esta noche. ¿ Dónde vas ? (*Se sienta en el sofá y le mira.*)

PEPE. Al teatro.

ROSARIO. Y, por lo visto, quieres hacer una conquista.

PEPE. ¡ Importantísima !

ROSARIO. ¿ La primera tiple ?

PEPE. Mucho más importante que la primera tiple. (*Rosario le mira con curiosidad.*) ¡ El banquero de la primera tiple !

ROSARIO. (*Con asombro.*) ¡ ¡ ¡ Eh ! ! !

PEPE. Un americano que apalea millones. Me han dicho que busca un secretario particular, y me han prometido presentarme esta noche. (*Con animación.*) Figúrate . . . si le caigo en gracia, he hecho mi suerte . . . Con el sin fin de ideas que tengo aquí. (*Se da una palmada en la frente.*) Me llevará a América, le ayudaré, trabajaré con él como un negro, me haré indispensable, me dará participación en los negocios.

Reza por mí, chiquilla. ¡ De esta noche depende que tengas un hermano millonario en dólares! ¡Los bombones que te voy a comprar en este mundo . . . cuando vuelva del otro, hecho un Rokefeller!

EMILIO. Si quisierais hacerme el favor de callar un momento . . . que ya me he equivocado tres veces.

ROSARIO. (*Levantándose y acercándose a la mesa.*) A ver si pones amor con hache. Dale recuerdos. ¡ Ay, qué ganas tengo de que os caséis!

EMILIO. Más tiene ella.

ROSARIO. ¿ Y tú ?

EMILIO. A mí ya creo que se me van pasando . . .; en cinco años de espera . . .

ROSARIO. ¿ Y quién os manda esperar tanto ?

EMILIO. La vida.

ROSARIO. ¿ La vida ? Lo cobardes que sois, que os da miedo pasar unos cuantos apuros al principio.

EMILIO. A ella, no; que es un ángel y está dispuesta a todo por mi cariño . . . Soy yo el que no me atrevo . . .

ROSARIO. ¡ Porque no la quieres lo bastante!

EMILIO. Porque la quiero demasiado. ¡ Bah !, pero ya son pocas las aguas malas . . .; el año que viene asciendo, de seguro . . . ¡ Verás, verás qué casa vamos a poner! ¡ Y qué felices vamos a ser en ella! Por supuesto que tú serás madrina del primer crío . . .

ROSARIO. Por supuesto.

PEPE. (*Con sorna.*) ¡ No te quejarás del regalito ! . . .

EMILIO. ¡ Habla tú, que regalas tanto !

PEPE. ¡ Porque no puedo, que lo que es si pudiera !

EMILIO. ¡ Ah ! ¡ Si pudiera yo !

PEPE. Ya sabe ella que en cuanto tengo un duro de más la convido al teatro . . .

EMILIO. Para divertirte tú de paso; yo en cuanto tengo un duro de más, la compro un par de guantes, o un velo, o unas medias de seda, para que lo disfrute ella solita . . .

PEPE. Sí, y para no perder tú la noche acompañándola . . . A ver, que diga ella lo que agradece más.

EMILIO. ¡ Eso es, que lo diga !

ROSARIO. (*Conciliadora.*) Todo lo agradezco lo mismo . . .; pero no me hace falta que me regaléis nada . . .; yo no os regalo nada a vosotros.

EMILIO. Es distinto; tú eres mujer . . .

ROSARIO. Y, ¡ claro !, nunca tengo un duro de más . . .

PEPE. Ni falta que te hace; nos tienes a nosotros.

EMILIO. Tú pídele a Dios que lleguemos a ricos, y verás qué vidita te pasas.

Entran por la puerta de la derecha doña Barbarita y Mario que la trae del brazo. Al entrar oyen las últimas palabras de Emilio.

MARIO. (*Entrando.*) ¡ Digo ! ¡ En cuanto yo llegue a director de mi periódico y estrene la docena de comedias que tengo pensadas, cualquiera te tose ! Ya verás, ya verás qué orgullosa te pones cuando entres a un teatro, o vayas a un paseo, y oigas decir: Ahí va la hermana de Mario Castellanos, el autor de moda . . . ¿ Eh, abuela ?

Mientras hablaba, ha atravesado la habitación y ha ayudado a la abuela a sentarse en el sofá, junto a la ventana.

DOÑA BARBARITA. (*Con sorna amable.*) Sí, sí ...

PEPE. Tú espera, espera, que ya verás de lo que son capaces tus tres hermanos.

DOÑA BARBARITA. Sí, sí ...

5 ROSARIO. Tres eran tres ... como en los cuentos ... (*Señalándolos.*) uno millonario, otro célebre y otro ...

EMILIO. (*Interrumpiéndola.*) ¡ Otro feliz !

ROSARIO. ¿ Y yo ?

MARIO. ¿ Tú ?

10 PEPE. ¿ Tú ?

EMILIO. ¿ Cómo tú ?

ROSARIO. (*Sonriendo.*) Sí; qué voy a ser yo, cuando a los tres se os haya cumplido la esperanza ...

PEPE. Pues tú ... te casarás ... naturalmente.

15 MARIO. Eso es ... te casarás.

EMILIO. ¡ Claro que sí !

ROSARIO. ¿ Y si no me caso ?

EMILIO. ¿ Por qué no te vas a casar ? Eres bonita ...

20 PEPE. Eres simpática.

MARIO. Eres bastante inteligente ...

ROSARIO. (*Haciéndoles reverencias.*) ¡ Gracias, gracias, gracias ... !

MARIO. ¿ Cuántos años tienes ?

25 ROSARIO. Veintitrés he cumplido hace dos meses.

EMILIO. Entonces ya va siendo un poco tarde para encontrar novio ...

ROSARIO. (*Muy ofendida.*) ¿ Qué dices ?

PEPE. No te apures: yo te buscaré uno.

30 ROSARIO. ¿ Para que sea tan elegante como las novias que te buscas tú ?

PEPE. ¿ Eh ?

ROSARIO. Ayer tarde te vi paseando con una que era lo menos, lo menos, lo menos cigarrera. ¡ Y poco entusiasmado que ibas !

5 PEPE. Bueno, bueno, me marcho, que se me va a escapar mi americano. Adiós, abuela. (*Le besa la mano.*) Usted que se ha casado tres veces, enséñele usted a esta niña el arte de pescar marido, antes de que se ponga rancia del todo. (*Se acerca a ella y quiere* 10 *abrazarla.*) ¡ Adiós, fea !

ROSARIO. ¡ Quítate de mi vista, mamarracho ! (*Él la abraza y sale.*)

DOÑA BARBARITA. ¡ Que no vuelvas a las mil y quinientas, que estoy despierta y te oigo entrar !

15 PEPE. (*En la puerta.*) Pero, abuela, si voy a la conquista de América, ¿ cómo quiere usted que no tarde ? (*Sale, y fuera se le oye cantar un couplet de moda.*)

DOÑA BARBARITA. Me parece a mí que este niño va sacando un poco los pies de las alforjas . . .

20 EMILIO. Adiós, abuela. (*Le besa la mano.*)

DOÑA BARBARITA. ¿ Sales tú también . . . ?

EMILIO. Sí; voy a echar esta carta . . .

ROSARIO. Y a divertirte mientras llega la contestación . . . que de aquí a Santander tardará un ratito. 25 ¡ Ay ! ¡ éstos son los hombres enamorados !

EMILIO. Niña, ¿ qué sabes tú ? En cuanto me case voy a ser un marido modelo.

DOÑA BARBARITA. El diablo, harto de carne, se metió fraile . . .

30 EMILIO. Hay que pasar las penas. Buenas noches.

Sale, abrazando, al pasar, a Rosario, que le amenaza cariñosamente.

Rosario recoge los papeles rotos que han quedado sobre la mesa, los echa en el cesto, arregla toda la mesa, recoge el cepillo que Pepe ha dejado en una silla, el peine y el cepillo del pelo que ha dejado sobre la chimenea, entra en la alcoba, vuelve a salir. — Doña Barbarita sigue sentada en el sofá. Mario pasea perezosamente, mira a la calle por la ventana, da otro paseo y se sienta en un sillón.

ROSARIO. (*Que se acerca a la ventana y se queda en pie mirando a la calle.*) ¿ Tú no sales hoy ?

MARIO. ¡ Ojalá ! Sí, hija, sí; ahora mismo, como todas las noches . . . ¡ Figúrate cómo se pondría el señor director si mañana faltase en el periódico mi ingeniosa sección de chistes, colmos, charadas y acertijos con alusiones molestas a las altas figuras del arte y la política, que tanto hace reír al respetable público ! Estoy tomando arranque . . . ¡ ea ! (*Se levanta.*) A la una . . . a las dos . . . ¡ Ay, qué ganas tengo de ser hombre célebre para que otro haga chistes a costa mía ! Adiós, abuela. (*Le besa la mano.*) ¡ Todo llegará . . . todo llegará ! (*Tirando un beso a Rosario, que sigue junto a la ventana.*) ¡ Adiós, preciosa ! (*Con alegría esperanzada.*) Sí . . . dentro de dos lustros, este cura será un triunfador, y el infeliz que me haya sustituído en la sección de colmos, una hermosa noche de agosto como ésta, se estará devanando los sesos para escribir: « ¿ Dónde salta la liebre ? — ¡ En la cabeza de Mario Castellanos ! » — Que es lo que pienso yo decir esta noche del autor dramático a quien más admiro. (*Sale muy contento.*)

ROSARIO. (*Mirando por la ventana.*) ¡ Qué noche más hermosa . . . ! ¡ Viene un olor a jazmines y a tierra mojada del jardín de enfrente ! (*Saludando.*) ¡ Adiós ! ¡ Que te diviertas !

DOÑA BARBARITA. Niña, ¿ a quién saludas ?

ROSARIO. A Mario, que sale. (*Inclinándose a hablar con Mario, a quien no se ve.*) ¿ Eh ? ¿ Qué dices . . . ? Espera . . . voy a ver. (*Va a la mesa y busca. A doña Barbarita.*) La pluma estilográfica, que se le ha olvidado. Sí, aquí está . . . toma.

Se sube al brazo de un sillón y se inclina sobre el antepecho de la ventana para alcanzar a dar la pluma a su hermano, que se supone está en la calle; luego se vuelve y se queda sentada en el poyo de la ventana y hace gestos de despedida, hasta que se supone que ha desaparecido Mario.

DOÑA BARBARITA. Niña, a ver si te caes.

ROSARIO. No me mataría: no hay dos varas de alto desde aquí a la calle. ¡ Ay !

DOÑA BARBARITA. ¿ Por qué suspiras ?

ROSARIO. (*Siempre sentada en la ventana.*) Ya no se le ve. ¡ Me da una envidia verle marchar !

DOÑA BARBARITA. Va a su trabajo.

ROSARIO. Ya lo sé; éste va a su trabajo, el otro a divertirse, el otro en busca de la suerte que se figura que le está esperando . . . pero el caso es que los tres se van . . . y tú y yo nos quedamos . . . (*Pausa muy breve, y después hablando de pronto.*) ¿ Has reparado en una cosa, abuela ?

DOÑA BARBARITA. ¿ En qué ?

ROSARIO. En lo de prisa que echan a andar los

hombres por la calle, cuando salen de casa . . . En cambio las mujeres salimos del portal muy despacio y antes de echar a andar, mientras nos abrochamos el último botón de los guantes, miramos calle arriba y calle abajo, como temiendo que alguien nos detenga. Parece que ellos salen por derecho propio, y que nosotras nos fugamos de presidio . . . (*Mirando a la calle, respira profundamente el aire perfumado.*) ¡ Ay, qué noche ! (*Salta ligeramente de la ventana y viene a sentarse en el sofá, junto a doña Barbarita.*) Abuela, (*Le coge las manos.*) si yo ahora te dijese: acabo de cumplir veintitrés años; soy mayor de edad; la ley me concede el uso pleno de no sé cuántos derechos civiles; puedo vender, comprar, emprender un negocio, tirar mi corta hacienda por la ventana, marcharme a América, meterme a cupletista . . ., en vista de lo cual desearía tener un llavín, lo mismo que cualquiera de mis hermanos, y usarle para entrar y salir libremente como ellos, sin darle cuenta a nadie, a cualquier hora del día y de la noche . . . ¿ Qué te parecería ?

DOÑA BARBARITA. Me parecería un capricho perfectamente natural.

ROSARIO. (*Un poco asombrada.*) ¿ Y me la darías ?

DOÑA BARBARITA. ¿ Por qué no ? El de la cocinera debe estar colgado detrás de la puerta. Cógele . . . (*Rosario se levanta impetuosamente.*) Y sal si quieres. (*Rosario da un paso.*) ¿ Dónde vas a ir ?

ROSARIO. (*Deteniéndose perpleja.*) Es verdad . . . ¿ Dónde voy a ir ? (*Con un poco de rabieta.*) ¿ Dónde va a estas horas una mujer sola y decente sin temor a que crean que no lo es?... ¡El temor! ¡El temor! ¡Eso es lo que nos pierde!

DOÑA BARBARITA. (*Sonriendo.*) Y lo que nos salva. Si tuviéramos tan poco miedo como los hombres a que el mundo creyese que habíamos perdido la vergüenza, pronto nos quedaría tan poca como a ellos... y sería lástima... porque si la llegamos a perder nosotras, ya no queda en el mundo quien se la encuentre.

ROSARIO. (*Volviendo a sentarse junto a su abuela.*) Abuela... ¿tú crees que todos los hombres que salen por la noche tan contentos... van... a divertirse... pecando?

DOÑA BARBARITA. ¡Ja, ja, ja! ¡Qué más quisieran ellos! No, hija, no: van a hacerse la ilusión de que pecan y de que se divierten... pero la mayor parte de las veces no les sale la cuenta... o les sale cara: por eso suelen volver a casa de tan mal humor. (*Pasándole la mano por el pelo.*) No los envidies.

ROSARIO. (*Con apasionamiento, que poco a poco se va cambiando en graciosa rabieta.*) No les envidio la libertad de pecar, ni la de divertirse, ni siquiera la de salir por el mundo en busca de su propio amor, mientras nosotras nos tenemos que estar esperando ¡sentadas! a que al amor ajeno se le antoje venir a buscarnos... les envidio la fe, la confianza que tienen en sí mismos, la seguridad de vencer al destino por sus propias fuerzas... Ya les oyes. (*Mirando en derredor como si estuvieran presentes sus hermanos.*) «Trabajaré... ganaré... lucharé... triunfaré...» ¿Y yo? (*Imitando a Pepe.*) «Pues tú, te casarás, naturalmente.» (*Levantándose y enfadada.*) ¡Te casarás! Es decir,

hablando en plata, te dejarás comprar y mantener por un caballerito que haya triunfado... ¿Y si no me caso? (*Imitando a Emilio.*) « Tú, pídele a Dios que nosotros lleguemos a ricos, y verás qué vidita te pasas. »
5 (*Enfadada.*) ¡Pues no me da la gana de pasarme vidita ninguna a costa de nadie! (*Imitando a Mario.*) « ¡Ahí va la hermana de Mario Castellanos! » (*Muy digna.*) ¡Qué fatuidad! ¡No es eso, señor mío, no es eso! Lo que a mí me hace falta que digan, si dicen, es: ¡Ahí
10 va Rosarito Castellanos... ella... ella... ella... sí, señor, ella misma, fea o bonita, tonta o discreta, triunfante o derrotada, pero orgullosa de su propia vida y no de los laureles de ningún hombre. ¡Ea!

DOÑA BARBARITA. ¡Ja, ja, ja!

15 ROSARIO. ¿Te ríes de mí? ¡No quiero ser satélite de nadie!

DOÑA BARBARITA. ¡Hija de mi alma! El sol... fíjate bien, es *el* sol, y la luna es *la* luna.

ROSARIO. (*Vivamente.*) En castellano, sí; pero en
20 alemán el sol, (*Imitando a su abuela*) fíjate bien, es *la* sol, y la luna *el* luna... Y en inglés, que es la única lengua con sentido común, ni *el* ni *la:* sol es sol, luna es luna, y cada uno es cada uno, y nadie se acuerda del género dichoso hasta la hora de dar el dulce sí. (*Vuelve*
25 *a sentarse junto a su abuela.*) Tú te ríes y no me comprendes, porque eres de otro siglo, y en vuestro tiempo os gustaba ser esclavas de los hombres.

DOÑA BARBARITA. Hija, la esclavitud no le ha gustado nunca a nadie más que al amo; lo que hay es
30 que vosotras os queréis librar de la tiranía, y nosotras nos contentábamos con vengarnos del tirano.

ROSARIO. ¿Cómo?

DOÑA BARBARITA. Haciéndole la vida insoportable. (*Abriendo un dije de tres hojas que lleva colgado de una cadena al cuello.*) ¡Mira... mis tres dueños! (*Sonriendo con amor.*) ¡Mi Ernesto!... ¡Mi Enrique!... ¡Mi Pepe!... ¡Lo que me han adorado!... ¡Lo que les he querido!

ROSARIO. (*Un poco escandalizada.*) ¡A los tres!

DOÑA BARBARITA. (*Con naturalidad.*) Uno a uno... ¡Y lo que les he hecho rabiar a todos!

ROSARIO. (*Mirándola con un poco de asombro.*) ¡Eh!

DOÑA BARBARITA. (*Sonriendo muy satisfecha a sus recuerdos conyugales.*) A mi Ernesto con celos míos injustificados, a cuenta de toda mujer a quien se le ocurría mirar cara a cara... ¡y era pintor de historia!... A mi Enrique con recelos suyos, prematuros, pero tal vez proféticos, a costa de mi Pepe, que era vecino nuestro y ya me hacía guiños desde el balcón... A mi Pepe con celos póstumos a costa de mi Enrique... ¡Las veces que me habrá dado un ataque de nervios al entrar de repente en el estudio de mi Ernesto y ver a la modelo en traje de Eva!... ¡Las veces que habré suspirado, mirando de reojo al balcón de mi Pepe, delante de mi Enrique! ¡Las veces que se me habrán llenado los ojos de lágrimas contemplando el retrato de mi Enrique delante de mi Pepe! ¡Pobrecillos! ¡Ahora que los tengo a los tres en el cielo, casi me dan lástima! (*Besa con fervor los tres retratos.*)

ROSARIO. ¡Abuela!

DOÑA BARBARITA. ¡Y he sido un ángel, fíjate bien,

un ángel del hogar, con miriñaque; una mujercita sumisa, dócil, amante, silenciosa, poética, una esposa arrancada de una novela de Pérez Escrich!

ROSARIO. ¡Es posible!

DOÑA BARBARITA. Las mujeres de ahora sois más nobles y más infelizotas; pedís la autonomía y renunciáis al alfilerazo: puede que sea más moral y más justo, pero de seguro es menos divertido.

Entra María Pepa, criada casi tan vieja como doña Barbarita. Se queda plantada en la puerta, con los brazos cruzados, y no habla.

DOÑA BARBARITA. (*Con mal humor.*) ¿Qué quieres tú?

MARÍA PEPA. (*Con calma.*) Que van a dar las once.

DOÑA BARBARITA. Bien, ¿y qué?

MARÍA PEPA. Nada: que tienes que rezar el rosario, que cogerte los papillotes, que echar las lamparillas a los difuntos, y si pasas el tiempo en conversación, no te vas a meter en la cama antes de las doce.

DOÑA BARBARITA. Lo cual a ti te trae muy sin cuidado.

MARÍA PEPA. (*Con calma.*) A mí, sí; pero a ti, no: porque de sobra sabes que mañana tienes que madrugar para ir a misa, que es el cabo de mes de tu Enrique, y si no duermes tus ocho horas y media, luego te dan vapores.

DOÑA BARBARITA. (*Con sorna.*) Y a ti alferecía si estás cinco minutos sin venir a enterarte de lo que se habla.

MARÍA PEPA. (*Ofendida.*) ¡Bastante me importará a mí lo que podáis hablar vosotras!

DOÑA BARBARITA. Claro que no te importa, pero hace diez minutos que estabas escuchando detrás de la puerta.

MARÍA PEPA. (*Ofendidísima.*) ¡ Jesús ! ¡ Ave María ! ¿ Yo escuchando ?

DOÑA BARBARITA. (*Con calma.*) Creerás que no te oigo andar por el pasillo con tus pasos de duende . . .

MARÍA PEPA. (*Muy digna.*) Como cuando pisa una fuerte, como las personas, se te alteran los nervios . . . (*Con toda dignidad, da dos pasos hacia la puerta.*)

DOÑA BARBARITA. ¿ Dónde vas ?

MARÍA PEPA. ¿ Dónde quieres que vaya ? (*Con retintín.*) A la cocina, que es mi puesto.

DOÑA BARBARITA. (*Nerviosa.*) ¡ Siéntate !

MARÍA PEPA. Muchas gracias, no estoy cansada.

DOÑA BARBARITA. (*Con autoridad y mal humor.*) ¡ ¡ Siéntate ! ! (*María Pepa se sienta muy digna en el borde de una silla.*) Y no tomes esos aires dignos, que nadie te ha faltado. (*Condescendiente.*) No estábamos hablando ningún secreto. Yo le estaba diciendo a la niña . . .

MARÍA PEPA. (*Interrumpiendo y con toda naturalidad.*) Que has sido un ángel con tus tres difuntos. Ya lo he oído.

ROSARIO. (*Se echa a reír ruidosamente.*) ¡ Ja, ja, ja !

DOÑA BARBARITA. (*Con sorna.*) No te rías, niña, que se nos va a ofender. ¿ Se ha acostado ya la cocinera ?

MARÍA PEPA. ¡ Naturalmente ! ¿ Qué va a hacer la mujer levantada a estas horas ?

DOÑA BARBARITA. (*Nerviosa.*) ¡ A estas horas !

¡ Ni que fueran las tres de la madrugada ! ¿ Por qué no dices de una vez que eres tú la que estás muerta de sueño ?

MARÍA PEPA. (*Como si el acusarla de tener sueño fuera acusarla de algún horrendo crimen.*) ¿ Yo ? ¿ Muerta de sueño yo ?

DOÑA BARBARITA. Anda, Anda. (*Levantándose.*) Nos iremos a la cama para que no enferme la señora doncella. Adiós, niña.

MARÍA PEPA. Por mí puedes estarte hasta el amanecer. Tu cuerpo lo paga.

ROSARIO. (*Besándola.*) Buenas noches, abuela.

DOÑA BARBARITA. (*Acariciando a Rosario.*) Que no estés leyendo hasta las mil . . .

ROSARIO. No, abuela.

MARÍA PEPA. (*Al salir.*) Se estará, se estará . . . de casta le viene . . . No he visto mujeres más « leonas » que las de esta casa.

DOÑA BARBARITA. No lo dirás por ti, que en sesenta y cinco años que hace que te estoy enseñando, no he conseguido que juntes las letras.

MARÍA PEPA. ¡ Bastantes mentiras tiene una que oír en este mundo sin necesidad de romperse los cascos para enterarse de las que traen los libros !

DOÑA BARBARITA. Anda, Salomón, anda, no desbarres.

Salen las dos del brazo sin que se sepa a punto fijo quién sostiene a quién. Rosarito, por el instinto de orden, que es su característica, arregla casi inconscientemente los trastos; después suspira, se estira perezosamente, bosteza, vuelve a suspirar, da cuerda a un relojito que hay sobre la chimenea, empieza a desabrocharse el traje; cuando ya le tiene casi completamente desabrochado, mira a la ventana que está abierta, entra en la alcoba y sale al cabo de un momento con un kimono a medio poner y unas babuchas en la mano; acaba de ponerse el kimono, se sienta en el sofá, se quita los zapatos y se pone las babuchas, coloca cuidadosamente los zapatos debajo del sofá, se despeina con toda calma, haciéndose una trenza tan floja, que casi inmediatamente se le deshace; se levanta, se acerca a la ventana, mira un instante a la calle, va perezosamente hacia la estantería, coge un libro, le deja; coge otro, le deja también, y al cabo se decide por un tercero; enciende un portátil que habrá junto al sofá, apaga la lámpara del techo, se tumba en el sofá cómodamente y empieza a leer. Entra María Pepa y se dirige hacia la ventana.

ROSARIO. (*Sin levantar los ojos del libro.*) ¿Dónde vas?

MARÍA PEPA. A cerrar la ventana, que va a haber tormenta, y se ha levantado un viento muy fuerte.

ROSARIO. Deja, deja; ya cerraré yo cuando me vaya. (*Sigue leyendo.*)

MARÍA PEPA. (*Que tiene gana de conversación, se acerca a la mesa.*) A ver si se le vuelan a tu hermano las coplas que escribe y tenemos un disgusto gordo.

ROSARIO. (*Sin dejar de leer.*) Pon un pisapapeles sobre las cuartillas.

MARÍA PEPA. (*Que sigue empeñada en hablar.*) Pondré el perro de lanas, que es el que más pesa.

ROSARIO. No es un perro de lanas, que es un león.

MARÍA PEPA. (*Colocando el pisapapeles, que, en efecto, es un león de bronce.*) Para mí ha sido siempre perro de lanas, y perro de lanas será hasta que me muera. (*Rosario se encoge de hombros y sigue leyendo; pero María Pepa está decidida a hablar, y prosigue después de una brevísima pausa.*) Se lo regaló el difunto señorito Enrique al difunto señorito Ernesto, que Dios tenga en gloria, un día del santo de tu difunta, ¡ Jesús ! (*Santiguándose para remediar la equivocación*) de tu abuelita, que por cierto aquel día cumplió veintidós años y estrenó un traje de popeline a cuadros escoceses, con su dulleta de terciopelo verde con bellotas de oro, que daba gloria el verla. (*Soñadora.*) Todavía la tengo guardada y sin apolillar . . . Por cierto que luego el señorito Pepe, Dios le haya perdonado, le tenía una rabia tremenda . . .

ROSARIO. (*Interesada, a pesar suyo.*) ¿ A la dulleta ?

MARÍA PEPA. Al perro de lanas. Porque tu abuela, siempre que entraba en el despacho, le pasaba la mano así por la melena. (*Acaricia al león de bronce.*) Y un día que ella había estado llorando, porque él era muy terco, y se empeñó en que fuera al teatro con él, precisamente el día del santo del difunto señorito Enrique, y ella, naturalmente, no quiso ir y se tomó un berrinche; él, hecho un basilisco, en cuanto ella salió llorando del despacho como una Magdalena, tiró el perro de lanas contra el retrato del pobre difunto, que estaba encima de la chimenea, y, naturalmente, como el perro es de bronce, pues le rompió el cristal . . . por cierto, que para hacer las paces le tuvo que poner un marco nuevo, de talla, con corona de laurel y cristal biselado, que le costó al pobre hombre un ojo de la cara . . .

Todo lo anterior lo dice María Pepa sin tomar aliento y poniendo las comas donde menos falta hacen, a compás de su incoherencia de pensamiento.

ROSARIO. (*Sin moverse del diván en que está tumbada.*) Por lo visto, mi abuela, al que más ha querido de todos sus difuntos ha sido (*Sonriendo con burla cariñosa.*) a su difunto Enrique.

MARÍA PEPA. (*Con desdeñosa y olímpica superioridad.*) ¡ Qué sé yo qué te diga ! . . . Lo que hay es que el difunto señorito Pepe, que fué el último, era el peor de todos . . .

ROSARIO. (*Con protesta.*) ¿ Mi abuelo ?

MARÍA PEPA. (*Con tranquilidad rencorosa.*) Sí, hija, sí; tu abuelo, Dios le haya perdonado; celoso, testarudo, tacaño, dominante, y la única manera que teníamos de meterle en cintura era el recordarle que el de antes había sido un ángel comparado con él . . . Pero no te vayas tú a figurar, que también el otro nos había hecho pasar lo suyo, es decir, lo nuestro, porque le gustaba tirar de la oreja a Jorge; y no es lo malo que le gustase, sino que perdía el dinero a manos llenas, y luego nosotras teníamos que andar con economías, lo cual no nos hacía ninguna gracia, porque el difunto señorito Ernesto, aunque como era artista era un soñador, y mentía más que la *Gaceta*, era generosísimo y nos tenía muy mal acostumbradas, que mientras él vivió, Dios le tenga en gloria, no pisó tu abuela el suelo de la calle con los pies, porque decía el pobre que los ángeles no deben rebajarse a hollar con sus plantas

el polvo de la tierra. ¡ Ay, Señor, no me quiero acordar de lo que nos tenemos paseado en coche ! . . . Claro es que muchos días nos hemos acostado sin cenar, porque él si no pintaba no ganaba, y a veces le entraba la
5 dejadez artística y se estaba las semanas enteras tumbado en el diván, fumando en pipa . . ., pero como fino y considerado y *caballeresco* no hemos tenido otro . . . (*Suena el timbre.*)

ROSARIO. La abuela te llama.

10 MARÍA PEPA. ¡ Voy ! ¡ Ya habrá terminado de rezar el rosario ! ¿ Apagarás la luz ?

ROSARIO. Sí, sí, apagaré la luz, cerraré la ventana . . . puedes acostarte tranquila. Llévate esos zapatos.

MARÍA PEPA. (*Cogiendo los zapatos, con un suspiro.*)
15 ¡ Ay, hija, tú no sabes las trifulcas que hay en el matrimonio ! . . . ¡ Y ojalá no lo sepas en tu vida !

ROSARIO. (*Incorporándose muy ofendida.*) ¿ Qué dices ?

MARÍA PEPA. (*Muy digna.*) ¡ Ah ! ¿ Te quieres
20 casar ? (*Rosario no responde.*) ¡ Y puede que con media docena, para no quedarte atrás de la otra ! (*Con superioridad y conmiseración.*) ¡ Con tu pan te lo comas ! (*Vuelve a sonar el timbre.*) ¡ Allá voy ! (*Andando hacia la puerta con toda calma.*) Suerte que a los
25 tuyos no los tendremos que aguantar, porque ya estaremos en el otro barrio. (*Parándose en la puerta.*) Por cierto que no sé cómo nos las vamos a componer, porque como los tres la han querido a morir, los tres van a salir con la embajada de que nos tenemos que ir a pasar
30 con ellos la vida eterna, y va a haber puñetazos a la puerta del cielo. (*Suena otra vez el timbre.*)

ROSARIO. Anda, mujer.

MARÍA PEPA. (*Con calma.*) Voy, voy... En fin, allá San Pedro se las arregle... Cierro la puerta, que hay corriente de aire.

Sale muy despacio, cerrando la puerta. Rosario, al quedarse sola, vuelve a tumbarse en el sofá e intenta volver a leer, pero no puede, porque las fantasías y evocaciones de María Pepa han distraído su atención del libro; sin soltarle de la mano, se sienta y medita.

ROSARIO. (*Meditando con incoherencia.*) ¿Con media docena? ¡Qué desatino! (*Abre el libro y lee.*) «El amor es flor única, de fragancia exquisita y evanescente...» (*Reflexionando.*) Claro está, flor única. (*Lee.*) «Surge una sola vez en la vida del alma, y el alma en que una vez ha florecido la azucena triunfante...» (*Meditando.*) ¡La azucena triunfante!... ¡qué imagen tan preciosa! (*Leyendo.*) «Muere al morir ella, puesto que sólo para ella y por ella quiere vivir.» (*Meditando con aprobación.*) Naturalmente... sólo por ella y para ella... pero ¿cómo habrá podido mi abuela querer a tres? (*Lee.*) «Puede, en una vida, haber varios fantasmas y apariencias de amor, nuncios y anuncios del amor verdadero, que aun no ha llegado...» (*Saboreando la frase.*) ¡Nuncios y anuncios del amor verdadero!... ¡Cómo dice las cosas este hombre! (*Lee.*) «... pero el alma gemela no es más que una, y sólo al encontrarla logra el anhelo comunión perfecta...» (*Meditando.*) Según eso, puesto que mi abuelo fué el último, su Ernesto y su Enrique no fueron más que anuncios y fantasmas... (*Con enfado contra sí misma.*) ¡Ea! ¿qué me importa el amor de mi abuela ? (*Se vuelve a tumbar por completo en el diván y lee.*) « Así el amor de Carlos y Esperanza, en aquella divina noche . . . » (*Sigue leyendo en voz baja un momento, pero casi inmediatamente se interrumpe,* 5 *dando media vuelta y apoyándose en un codo.*) Claro que puede ser que mi difunto abuelo fuese tan fantasma como sus dos antecesores, anuncio del amor verdadero que no llegó a venir, y mi pobre abuela se figura que ha querido a los tres, precisamente porque no quiso a 10 ninguno. (*Lee.*) « En aquella divina noche . . . » (*Dando otra media vuelta.*) Pero el caso es que . . . (*Impaciente.*) ¡ Nada, que no puedo leer ! (*Se sienta. Se oye soplar el viento en la calle.*) ¡ Cómo suena el viento ! . . . Mejor será que me vaya a la cama . . . 15 Pero si ahora me acuesto, con el barullo que me ha metido esa mujer en la cabeza, voy a soñar con todos los difuntos, y me va a entrar un miedo espantoso . . . Me estaré aquí un rato, pensando tonterías hasta que se me olvide. (*Se vuelve a tumbar, y sin levantarse apaga* 20 *la luz del portátil, y se queda tendida en el diván, inmóvil. El cuarto queda a obscuras, alumbrado solamente a trechos por la luz, no muy viva, que entra por la ventana. Sigue sonando el viento en la calle.*) ¡ Sí que parece que va a haber tormenta ! . . . ¡ Huy, qué polvo está en-25 trando ! . . . Más valdría cerrar. (*Intenta incorporarse y se arrepiente, ya a medias vencida por el sueño.*) Pero me da pereza . . . (*Se vuelve a tumbar y cierra los ojos. En este momento entra por la ventana, lanzado con violencia por el viento, un sombrero de paja que, pasando* 30 *sobre ella o cerca de ella, viene a caer al lado del diván.*) ¡ Eh ! (*Abriendo los ojos sobresaltada.*) ¿ Qué es esto ?

(*Se frota los ojos.*) ¿ Un pájaro que ha entrado por la ventana ? (*Buscando con la vista, pero sin levantarse.*) No . . . un sombrero de hombre . . . (*Medio adormilada.*) No comprendo . . . (*Mira alternativamente al suelo, donde está el sombrero, y a la ventana, perpleja, sin saber qué hacer . . . Por fin se levanta con cierto temor y va andando despacio hacia la ventana, pero siempre dentro de la zona de sombra. En este momento hay un relámpago deslumbrador, seguido inmediatamente de un trueno horrísono, y al fulgor verdaderamente infernal del relámpago se ve aparecer en la ventana la figura de un hombre, elegantemente vestido, pero sin sombrero, que mira un segundo hacia dentro de la habitación, y salta. Rosario, asustada y deslumbrada por el ralámpago y el trueno, ve al hombre, y no sabiendo si es realidad o fantasma, se queda helada de espanto, y dice en voz baja, precipitada y anhelante.*) ¡ Jesús ! ¡ Ave María ! ¡ Virgen del Carmen ! ¡ Ánimas benditas del Purgatorio ! (*Recobrando un poco de valor se santigua precipitadamente y reza a toda prisa.*) ¡ Santa Bárbara bendita . . . que en el cielo estás escrita . . . !

EL APARECIDO. (*Dándose cuenta de que hay una mujer en la habitación, y andando hacia ella a tientas, porque al relámpago ha sucedido una obscuridad casi absoluta.*) ¡ No se asuste usted . . . no se asuste usted !

En este momento, otro relámpago más deslumbrante que el primero desgarra el firmamento; sigue un trueno aún más espantoso y una tremenda descarga de lluvia torrencial.

ROSARIO. (*Al ver, a la luz del relámpago, que el*

hombre se dirige hacia ella, aterrada, alarga los brazos para apartarle.) ¡ Aparta ! ¡ Aparta ! ¡ Soco . . . !

EL APARECIDO. (*Acercándose a ella.*) ¡ No grite usted . . . por el amor de Dios . . . no grite usted . . .
5 No soy un ladrón . . . no soy un asesino . . . soy . . . soy . . . una persona decente . . . !

ROSARIO. Sí, sí . . . pero apártese usted.

EL APARECIDO. Sí, señora . . . ahora mismo . . . (*Quiere soltarla, pero el pelo, que ella lleva suelto, se ha*
10 *enganchado en los botones de la bocamanga de él, y no puede soltarla del todo, sino que tiene que echarle un brazo por el cuello.*) ¡ No puedo !

ROSARIO. ¿ Por qué ?

EL APARECIDO. Se le ha enganchado a usted el pelo
15 en los botones de mi manga.

ROSARIO. (*Impaciente.*) ¡ Desengánchele usted !

EL APARECIDO. A obscuras, imposible . . . Encienda usted la luz. ¿ Dónde está ?

ROSARIO. Aquí . . . en la mesa . . . Venga usted . . .
20 (*Echa a andar y él la sigue; pero a pesar de sus precauciones, la tira del pelo.*) ¡ Ay, que me tira usted !

EL APARECIDO. ¡ Usted perdone !

Se para, y como ella sigue andando, la tira otra vez.

ROSARIO. (*Enfadada.*) ¡ Ay ! ¡ Pero, hombre de
25 Dios, sígame usted !

EL APARECIDO. ¡ Voy, voy ! . . . ¡ Ah !

Por seguirla procurando no tirarla del pelo, tropieza y caen los dos sobre el diván. Él, para no rodar al suelo, se abraza a ella estrechísimamente.

30 ROSARIO. (*Indignada, en sus brazos.*) ¡ Caballero ! ¡ Esto es intolerable ! ¿ Con qué derecho se atreve usted a abrazarme ?

EL APARECIDO. (*Con calma y sin separarse de ella.*) Señora, usted perdone . . . esto no es un abrazo, es un accidente . . . que a mí me desagrada tanto como a usted. (*Ella hace un gesto de asombrada protesta, no suponiendo que ningún hombre pueda encontrar desagradable el abrazarla . . .*) porque al caer me he desollado una espinilla . . .

ROSARIO. ¡ Pues si le desagrada a usted tanto, apártese usted !

EL APARECIDO. Es que tampoco puedo. (*Con calma.*) Ahora se le ha enredado a usted el pelo en todos los botones del chaleco, y si me aparto violentamente va usted a sufrir tirones espantosos . . . Muy a pesar mío, me veo obligado a estrecharla a usted contra mi corazón . . . Si usted, que sabe dónde está la lámpara, pudiera usted . . .

ROSARIO. (*Impaciente.*) Sí, sí. (*Da media vuelta, buscando nerviosa entre el diván el interruptor del portátil, y se lleva la cabeza a las manos, porque, a pesar de las preocupaciones de él, la tira del pelo.*) ¡ Ay ! ¡ Ay ! ¡ Ay !

EL APARECIDO. (*Con calma.*) ¿ Lo ve usted ?

ROSARIO. (*Consigue dar la luz.*) ¡ Gracias a Dios !

EL APARECIDO. A ver si conseguimos desatar este nudo . . .

Se miran muy juntos, a la luz del portátil, y no se desagradan. Él sonríe, y ella, después de sonreír también, baja los ojos, muy avergonzada, cruzándose el kimono, que se ha desarreglado un poco en el jaleo.

EL APARECIDO. (*Ocupado en desenredar el pelo.*) ¡ Tiene usted un pelo tan endemoniado !

ROSARIO. (*Ofendida.*) ¿ Eh ?

EL APARECIDO. He querido decir tan . . . enredoso . . . Se engancha en todas partes. ¿ Es que le lleva usted siempre flotando al viento ?

ROSARIO. (*Con mal humor.*) ¡ Le llevo como me parece !

EL APARECIDO. (*Sin galantería, como quien afirma sencillamente un hecho.*) Fino sí es . . . y rubio . . . No muy abundante, pero muy bonito.

ROSARIO. (*Rabiosa.*) ¡ Gracias !

EL APARECIDO. (*Con calma glacial.*) Y huele bien . . . muy bien. (*Huele un mechón con toda naturalidad.*) A violetas.

ROSARIO. (*Ofendidísima.*) ¡ Caballero !

EL APARECIDO. (*Muy asombrado.*) ¿ Se ofende usted ?

ROSARIO. (*En el colmo de la indignación.*) ¡ Naturalmente ! ¡ Habrá insolencia !

EL APARECIDO. (*Con calma.*) Usted perdone . . . No creí que fuera insolencia ninguna afirmar que un cabello que huele a violetas, huele a violetas. ¿ Acaso hubiera sido más correcto decir que huele a nardos ?

ROSARIO. (*Indignada.*) ¡ Huela a lo que huela, a usted no le importa !

EL APARECIDO. (*Con tranquilidad, prosiguiendo su tarea.*) No he dicho que me importe . . . he dicho que huele . . .

ROSARIO. Está bien . . . (*Nerviosa.*) ¿ Ha terminado usted ?

EL APARECIDO. (*Con desesperación cómica.*) ¡ Imposible !

ROSARIO. (*Aunque está sentada de espaldas a la mesa,*

busca a tientas, echando los brazos atrás, hasta que encuentra las tijeras de cortar papel.) Tome usted... ¡corte usted y acabemos de una vez!

EL APARECIDO. (*Con afectación de lástima un poco burlona mirando a las tijeras y al pelo.*) ¡Cortar! ¡Oh!

ROSARIO. ¡Traiga usted! (*Con mal humor y energía corta resueltamente las puntas del cabello que estaban enganchadas en los botones del chaleco.*) ¡Uf! ¡Ya estoy libre! (*Se levanta muy digna y se aparta unos pasos.*) Y ahora...

EL APARECIDO. (*Se ha puesto también en pie, y se inclina correctamente.*) Señora... o señorita...

ROSARIO. (*Sin hacer caso del saludo ni de la interrupción.*) Explíqueme usted cómo siendo, según usted dice, (*Le mira de arriba abajo y se da cuenta de que, en efecto, va admirablemente vestido en traje de media etiqueta.*) persona decente, se ha atrevido usted a entrar de este modo en una casa extraña.

El principio de la frase le dice con mucha energía; pero al terminarla, ya se ha suavizado un poco.

EL APARECIDO. (*Con calma correctísima.*) Es muy sencillo: el viento horroroso, precursor de esta horrible tormenta, me arrebató el sombrero, y tuvo a bien hacerle entrar volando por esa ventana. Yo, sencillamente, he entrado a buscarle... Por aquí debe andar.

ROSARIO. (*Otra vez enfadada, porque la calma de él la pone nerviosa.*) ¿De modo que por recobrar un miserable sombrero de paja salta usted a estas horas por una ventana como un bandolero?... ¡Pues sí que el motivo es de importancia!

EL APARECIDO. (*Inclinándose.*) Señora . . . o
señorita . . .
ROSARIO. (*Con mal humor.*) ¡ Señorita !
EL APARECIDO. (*Sonriendo e inclinándose.*) Señorita
5 . . . todo depende del punto de vista en que uno se
coloque . . . A usted es natural que mi sombrero . . .
(*Le ha estado buscando con la vista, y en este momento le
encuentra, le recoge y le contempla lastimosamente.*)
¡ Pobrecillo ! (*Le limpia con afecto.*) ¡ Qué mal te ha
10 sentado la excursión aérea ! . . . le parezca un objeto de
poca importancia, pero para mí, precisamente en esta
ocasión, era importantísimo. (*Ella le mira con curiosidad.*) Sí, señora. Yo iba a una visita que me interesaba
en extremo.
15 ROSARIO. ¿ Ah, sí ?
EL APARECIDO. Sí, señorita . . . extraordinariamente.
(*A ella, sin saber por qué, le causa mal humor ese extraordinario interés.*) No me agradaba ir por la calle, y
mucho menos presentarme, llegar a la visita en cuestión
20 a pelo y desgreñado, como si acabara de cometer un
crimen. Llamar a la puerta de este domicilio y despertar a sus desconocidos habitantes para reclamar el
objeto perdido, me pareció una impertinencia innece-
saria; salté a la ventana; la habitación estaba a ob-
25 scuras y en silencio; me figuré que en ella no había
nadie; pensaba recoger el sombrero y seguir mi camino
. . . Si usted no hubiese gritado tontamente . . .
ROSARIO. (*Ofendida.*) ¡ Oh !
EL APARECIDO. (*Imperturbable.*) Me hubiese re-
30 tirado como entré, sin ruido ni molestia para nadie;
soy hombre discreto, aunque me esté mal el decirlo.

ROSARIO. (*Convencida, pero nerviosa, precisamente por haberse dejado convencer.*) ¡ Está bien ... está bien ! ... No hablemos más ... Y ahora que ha recobrado usted ese precioso objeto, tenga usted la bondad de demostrar su discreción (*Recalcando la palabra.*) marchándose inmediatamente por donde ha venido.

Señala imperiosamente la ventana y se sienta muy decidida en el diván.

EL APARECIDO. (*Acercándose a la ventana y mirando a la calle.*) ¡ ¡ ¡ Señorita ! ! !

ROSARIO. (*Sin moverse.*) ¿ Qué hay ?

EL APARECIDO. ¡ Que está diluviando ! (*En tono lamentable.*)

ROSARIO. (*Implacable.*) Bien, ¿ y qué ?

EL APARECIDO. Que no traigo paraguas, porque cuando salí de casa hacía una noche deliciosa; y si me lanzo a la calle en este instante, me voy a poner hecho una sopa.

ROSARIO. (*Con rencor celoso completamente injustificado, pero completamente femenino.*) ¡ Ya ! Y va usted a tener que presentarse en aspecto muy poco distinguido ante esa señora que le interesa a usted tantísimo.

EL APARECIDO. (*Acercándose a ella muy galante y con acento conciliador.*) ¿ Quién le ha dicho a usted que es una señora ? (*Se sienta en el diván junto a ella.*)

ROSARIO. (*Levantándose como por resorte en cuanto él se ha sentado.*) ¡ Salga usted ! (*Con ademán imperioso, y a pesar de la lluvia que sigue cayendo con más ruido que nunca.*) ¡ Ya escampa !

EL APARECIDO. (*Acercándose a la ventana.*) No escampa. (*Ella hace un gesto de desesperación.*) Y además, el sereno está abriendo la puerta de la casa de enfrente, y si me ve saltar por la ventana, o me detendrá creyendo que soy un ladrón, o me dejará escapar suponiendo (*Se inclina profundamente.*) ¡ usted perdone ! . . . que es usted mi cómplice . . ., con lo cual usted quedará horriblemente comprometida . . .

ROSARIO. (*Con desaliento, dejándose caer en una silla.*) ¡ Es verdad !

EL APARECIDO. (*Respetuosísimamente.*) Si a usted le parece, me esperaré un momento y evitaremos el posible escándalo.

ROSARIO. Sí, sí . . . evitémosle . . . Siéntese usted. (*Con voz doliente.*)

EL APARECIDO. (*Sentándose bastante lejos de ella.*) Gracias.

ROSARIO. (*Con voz de víctima.*) ¡ No recordaba que tengo la desdicha de haber nacido mujer !

EL APARECIDO. ¿ A usted le parece desdicha ?

ROSARIO. ¡ Espantosa ! ¡ Bien claro está ahora mismo ! Si usted salta por mi ventana y el mundo se figura que salta usted con mi consentimiento, su fama de usted no va perdiendo nada en la opinión, y en cambio la mía se hunde para siempre . . . ¿ Le parece a usted bien ?

EL APARECIDO. (*Humilde.*) No, señora.

ROSARIO. (*Agresiva.*) ¿ Le parece a usted justo que, en esta sociedad madrastra, el hombre tenga todos los privilegios y la mujer todas las responsabilidades ?

EL APARECIDO. (*Con precaución.*) Por lo visto . . .

usted desearía poder saltar ventanas con tanta impunidad como un hombre.

ROSARIO. (*Enfadada.*) ¡ No, señor; está usted completamente equivocado ! (*Muy digna.*) ¡ Yo deseo que el hombre que salta por una ventana quede tan deshonrado y tan comprometido como la mujer que se queda dentro !

EL APARECIDO. Sí . . . es un punto de vista . . .

ROSARIO. ¡ Justo y racional ! ¡ El único: derechos iguales, deberes iguales !

EL APARECIDO. (*Con calma.*) Por lo visto, es usted una mujer moderna.

ROSARIO. (*Levantándose con gran dignidad.*) ¡ Modernísima !

EL APARECIDO. (*Con duda poco galante.*) ¡ Ejem !

ROSARIO. (*Ofendida.*) ¿ Lo duda usted ?

EL APARECIDO. Me permito dudarlo . . . porque si fuera verdad, no tendría usted calma para leer *eso.*

Señalando con desdén al libro que ella ha estado leyendo y que ahora está en el suelo, junto al diván.

ROSARIO. (*Recogiendo el libro y apretándole contra su corazón, como para defenderle.*) ¿ Sabe usted lo que es . . . *esto ?*

EL APARECIDO. Sí, señora; una novela ultra-sentimental y ultra-romántica: *Ilusión de Mayo.*

ROSARIO. (*En son de desafío.*) ¿ La ha leído usted ?

EL APARECIDO. (*Humildemente.*) Sí, señora.

ROSARIO. (*Indignada y sarcástica.*) ¡ Ah ! ¿ Y no le gusta a usted ?

EL APARECIDO. (*Con un leve mohín de desprecio.*) ¡ Pts ! . . . Como literatura, no está mal del todo.

Rosario. (*Indignada.*) ¿ Cómo que no está mal ? (*Con entusiasmo.*) ¡ Está admirablemente !

El Aparecido. (*Sonriendo.*) Admitámoslo . . . pero lo que es el fondo . . .

Rosario. (*Agresiva.*) ¿ Qué le pasa al fondo ?

El Aparecido. (*Convencidísimo.*) Que no tiene sentido común.

Rosario. (*Como si la novela fuera suya.*) ¡ Caballero !

El Aparecido. (*Con calma.*) La heroína es una pobre imbécil que no piensa más que en el amor, y se traga como artículo de fe todas las mentiras que le cuenta un joven, por otra parte tan tonto como ella, a la luz de la luna . . . Cada media docena de páginas se prometen una pasión eterna, cosa absolutamente imposible; una fidelidad sin límites, cosa absolutamente inverosímil . . .

Rosario. ¡ Señor mío !

El Aparecido. El autor les coloca en situaciones completamente absurdas . . . aquella divina noche de amor en góndola . . .

Rosario. (*Con lirismo.*) ¡ Por los estrechos canales de Venecia ! . . .

El Aparecido. Con lo mal que huelen, en la divina noche, los estrechos canales . . .

Rosario. (*Escandalizada.*) ¡ Es usted un ser prosaico y vulgar !

El Aparecido. (*Cortésmente.*) Soy un hombre normal, enamorado de la realidad y del equilibrio, y si usted fuese, como presume, una mujer moderna, y no una niña desequilibrada con ideas nuevas y sentimientos viejos . . .

ROSARIO. (*Interrumpiéndole.*) ¡ Caballero, por muy enamorada que esté una de la realidad, a veces necesita un poco de ensueño y de poesía, precisamente para consolarse de no poder lograr las realidades por que suspira ! ¡ El hombre que ha escrito este libro conoce el corazón de la mujer !

Dice todo esto, y en general todos « los discursos » del acto, queriendo ponerse muy seria, pero con un aire terrible de chiquilla mimada.

EL APARECIDO. (*Escéptico.*) ¿ Usted cree ?

ROSARIO. (*En son de desafío.*) ¿ Usted no ?

EL APARECIDO. Yo creo que el infeliz escribe sus novelas lo mejor que puede, mintiendo lo mejor que sabe, para venderlas en la mayor abundancia posible a su clientela de mujeres románticas . . . un poco ilusas y un mucho atrasadas.

ROSARIO. ¡ Caballero, le ruego a usted que no hable de lo que no comprende ! (*Dando un golpe al libro que ha dejado encima de la mesa.*) Este hombre es un espíritu elegido, y todas las mujeres de corazón le debemos eterno agradecimiento . . . ¡ Ah, si alguna vez pudiera decirle todo lo que le admiro . . . aunque a usted le parezca esta admiración digna de una mujer . . . atrasada ! Lo triste es que nunca le conoceré . . .

EL APARECIDO. Si tanto le interesa a usted, yo podría . . .

ROSARIO. (*Espantada.*) ¿ Usted ? . . . ¿ Usted le conoce ? ¿ Es usted su amigo ?

EL APARECIDO. Amigo . . . no es precisamente la palabra exacta . . . pero, en fin, tengo con él la confianza bastante para poder escribirle, si usted lo desea, una carta de presentación . . .

Rosario. (*Entusiasta.*) ¡ Ay, sí, sí ! (*Reflexiva.*) Es decir, si a usted no le molesta . . .

El Aparecido. Nada, absolutamente. (*Se sienta a la mesa. Rosarito le da pluma y papel. Empezando a escribir.*) Mi querido amigo: Tengo el honor de presentarte a la señorita . . . ¿ Cómo se llama usted ?

Rosario. (*Un poco alterada.*) Rosarito . . . (*Él la mira con sorna ante lo « femenino » de llamarse a sí misma por un diminutivo.*) Es decir . . . Rosario . . . Rosario Castellanos . . . (*Pone gradualmente una cara de apuro bastante cómica.*)

El Aparecido. ¿ Qué le sucede a usted ?

Rosario. Nada . . . es decir . . . (*Resuelta, pero apurada.*) ¡ No, nada . . . siga usted . . . ! (*Él se ríe.*) ¿ De qué se ríe usted ?

El Aparecido. De que presume usted de mujer fuerte y le da a usted reparo ir a visitar a un caballero sin otro motivo que el de ofrecerle su admiración . . . (*Con afectada compasión.*) ¡ Y luego quiere usted ser igual a un hombre !

Rosario. (*Enfadada.*) No, señor . . . no me da reparo . . . es decir, sí me da . . . pero no es por mí . . . que yo me atrevo a todo . . . sino por él . . . que puede figurarse . . .

El Aparecido. ¡ Figurarse ! ¡ Ese hombre sublime que, según usted dice, conoce de tal modo el corazón de la mujer . . . !

Rosario. (*Enfadadísima.*) ¡ Bueno, basta . . . consiento en que se burle usted de mí; pero de él, no, señor !

El Aparecido. ¡ Qué apasionamiento ! ¡ No sabe el muy . . . afortunado la suerte que tiene !

ROSARIO. (*Con decisión.*) ¡ Caballero . . . no escriba usted esa carta !

EL APARECIDO. ¿ Y va usted a privarse del placer . . . ?

ROSARIO. ¡ Eso es cuenta mía !

EL APARECIDO. No puedo consentirlo . . . hay que buscar un medio . . . (*Se da una palmada en la frente.*) ¡ Ah !

ROSARIO. (*Intrigada.*) ¿ Qué ?

EL APARECIDO. ¿ Tiene usted un periódico de hoy ?

ROSARIO. Sí . . . aquí está . . . (*Le coge del montón de papeles.*) ¿ Para qué ?

EL APARECIDO. (*Mirando los anuncios.*) Llegamos a tiempo. Lea usted. (*Le da el periódico señalando un párrafo.*)

ROSARIO. (*Leyendo.*) « Caballero formal desea secretaria mecanógrafa, instruída y seria, para trabajos literarios. Sueldo decoroso. » (*Sin aliento.*) ¿ Cree usted que se trata de . . . ?

EL APARECIDO. Estoy seguro. (*Cogiendo el periódico.*) Sí, son sus señas . . . hace un par de semanas creo que le oí hablar de que pensaba poner el anuncio . . . Vea usted qué suerte. Por lo visto, aún está la plaza vacante. Yo termino la carta y usted se presenta, ya sin reparo alguno, con el pretexto de solicitarla.

ROSARIO. ¿ Cómo con el pretexto ? ¡ Iré a solicitarla de verdad !

EL APARECIDO. (*Asombrado.*) ¡ Usted !

ROSARIO. (*Muy digna.*) ¿ Cree usted que no sirvo ? Sé francés, alemán, inglés ¡ y castellano !

EL APARECIDO. ¡ Oh, no es eso ! (*Mirando la habi-*

tación.) Es que me figuré... a juzgar por el medio en que usted vive, que no necesitaba usted...

ROSARIO. (*Interrumpiéndole.*) ¿ Ganarme la vida? Es verdad... no lo necesito... lo cual quiere decir que en mi familia hay hombres que pueden trabajar para mí... (*Patética.*) ¡ Ésa es precisamente la amargura más grande, la humillación más negra de mi destino de mujer! Quiero trabajar, quiero ganar el pan que como. ¡ Estoy cansada de ser un parásito!

EL APARECIDO. (*Escribiendo.*) En ese caso... es posible que ustedes se convengan... ¿ Quiere usted darme un sobre?

Ella busca un sobre y se le da; él le entrega la carta para que la lea, mientras él pone la dirección.

ROSARIO. (*Lee la carta en voz baja y sonríe complacida y ruborosa, sin duda por lo que dice de ella.*) ¡ Oh, es usted muy amable! (*Sigue leyendo y hace un mohín al llegar a la firma.*) ¿ Se llama usted... Prudencio? (*Con desencanto.*)

EL APARECIDO. (*Con resignación y humildad.*) Sí, señora: Prudencio González... Prosaico, ¿ verdad? No todos tenemos la suerte de podernos llamar como su héroe de usted: (*Señalando a la novela.*) Luis Felipe de Córdoba. (*Suspira y se levanta.*) En fin... (*Le da el sobre, y ella mete la carta en él y le cierra.*)

ROSARIO. Muchas gracias. (*Se mete la carta en el pecho y le da la mano.*)

EL APARECIDO. (*Apretándole la mano e inclinándose.*) Celebraré haber contribuído a redimir de su esclavitud a una mujer bonita.

Sonríen con las manos cogidas. En este momento se oye ruido fuera: la voz de Pepe, que canta el mismo couplet que cuando salió, y la de Emilio, que le riñe.

PEPE. (*Canta dentro.*)

EMILIO. (*Dentro.*) ¡ Calla, hombre, calla, que vas a despertar a la abuela !

ROSARIO. ¡ Ay, Jesús, mis hermanos !

Se lleva las manos a la cabeza con terror, y echa a correr.

EL APARECIDO. (*Quiere detenerla sujetándola por el kimono.*) Pero . . . señorita . . .

ROSARIO. (*Angustiadísima.*) ¡ Déjeme usted, déjeme usted !

Corriendo, desaparece por la puerta de la alcoba; en la carrera pierde una babucha. El Aparecido, sin darse cuenta de lo que hace, la recoge y se queda un segundo con ella en la mano; va a soltarla, cuando suena el picaporte de la puerta del pasillo y entran Emilio y Pepe. El Aparecido se guarda la babucha precipitadamente en un bolsillo y cruza la habitación para saltar por la ventana; pero antes de haber llegado a ella, entran Emilio y Pepe y le ven.

PEPE. (*Entra cantando bajito.*)

EMILIO. ¡ Calla, hombre, calla !

PEPE. (*Viendo al Aparecido.*) ¡ Eh ! ¿ Qué es esto ? ¡ Un hombre !

Se precipitan los dos sobre él y quieren sujetarle; pero él, sin hablar, lucha brevemente con ellos, los derriba y salta por la ventana.

EMILIO. ¡ Miserable !

PEPE. ¡ Ladrón !

EMILIO Y PEPE. (*Queriendo incorporarse y seguirle, gritan a un tiempo.*) ¡ Ladrón, criminal !

Quieren correr a la ventana, pero tropiezan uno en otro y caen enredados al suelo, derribando una silla. Entran, como atraídas por los gritos, doña Barbarita y María Pepa por la puerta del pasillo y Rosarito por la de la alcoba.

DOÑA BARBARITA. (*En camisón, bata y papillotes, pero sin perder el decoro y la coquetería.*) ¿ Qué pasa ?

MARÍA PEPA. (*En camisa, refajo amarillo y mantón.*) ¿ Qué es esto ?

ROSARITO. (*Andando a la pata coja porque no tiene más que una babucha, pero con el aire más inocente del mundo.*) ¿ Por qué gritáis así ?

EMILIO. (*Que consigue levantarse.*) Un hombre . . .

PEPE. (*Que se levanta también.*) Que estaba aquí . . .

MARÍA PEPA. ¡ Un hombre !

ROSARIO. (*Con toda inocencia.*) ¡ Imposible !

EMILIO. (*Con mal humor.*) ¿ Cómo imposible ?

ROSARIO. ¿ Por dónde iba a entrar ?

PEPE. (*Furioso.*) Por donde ha salido. ¡ Por la ventana !

ROSARIO. ¡ No puede ser !

MARÍA PEPA. Lo habréis soñado . . . Como vendréis alegres . . .

EMILIO. ¡ Ira de Dios, alegres !

PEPE. ¡ Se nos habrá subido a la cabeza el chaparrón !

EMILIO. (*Furioso, a Pepe.*) Tú no le has visto, ¿ eh ?

PEPE. (*Frotándose un brazo.*) ¡ Le he visto y le he sentido !

DOÑA BARBARITA. (*Conciliadora.*) ¡ Puede que haya sido verdad !

EMILIO. ¿ Cómo, puede ? (*Viendo el sombrero de paja, que se ha quedado en una silla.*) ¡ Aquí hay un sombrero !

LAS TRES MUJERES. (*A un tiempo.*) ¡ Un sombrero !

EMILIO Y PEPE. (*A un tiempo.*) ¿ Y ahora ?

ROSARIO. ¡ Un sombrero ! A ver . . .

Le coge con sonrisa maliciosa, y volviendo la cara, le tira por la ventana.

PEPE Y EMILIO. ¿ Qué haces ?

ROSARIO. Devolvérsele a su dueño.

En este momento entra por la ventana, en respuesta al sombrero del Aparecido, la babucha de Rosario que él se guardó en el bolsillo.

MARÍA PEPA. ¿ Qué es esto ?

PEPE Y EMILIO. (*A un tiempo.*) ¡ Una babucha !

ROSARIO. (*Aturdidamente.*) ¡ Mi babucha !

DOÑA BARBARITA. (*En tono de reconvención, no se sabe si por la incorrección del hecho o por la imprudencia de confesarlo.*) ¡ Niña, qué dices !

EMILIO. (*Con indignación.*) ¡ Tu babucha !

PEPE. (*Horrorizado.*) ¡ Tu babucha !

ROSARIO. (*Espantada.*) Sí . . . sí; pero . . .

Los dos hermanos, indignados, se precipitan hacia ella y hablan a un tiempo, quitándose la palabra.

EMILIO Y PEPE. ¿ Cómo tiene ese hombre tu babucha ?

ROSARIO. ¡ Yo qué sé !

PEPE. ¿ Cómo que no sabes ?

EMILIO. ¿ Quieres explicarnos . . . ?

PEPE. Quieres decirnos . . .

ROSARIO. (*Acongojada.*) Pero si yo . . . Sí . . . es mi babucha . . . pero . . .

EMILIO. ¡ Habla !

PEPE. ¡ Habla !

EMILIO. ¿ Quieres hablar ?

ROSARIO. (*Mira a todas partes con angustia, y se desploma en el diván.*)

MARÍA PEPA. (*Acudiendo a sostenerla.*) ¡ Se ha desmayado !

DOÑA BARBARITA. (*Aparte.*) ¡ Gracias a Dios ! ¡ Creí que no se le ocurría ! (*Se acerca a ella y la sostiene.*)

EMILIO. (*Furioso.*) ¡ No te desmayes !

PEPE. (*Furioso.*) ¡ No hagas pamemas !

EMILIO. ¡ Habla !

DOÑA BARBARITA. (*Con autoridad.*) ¡ Apartad ! ¡ Retiraos ! ¡ Toda mujer que ha juzgado prudente desmayarse, es sagrada !

TELÓN RAPIDÍSIMO

ACTO SEGUNDO

Cuarto de trabajo del novelista Luis Felipe de Córdoba. Es una habitación de paredes claras, con mucha luz que entra por dos grandes balcones, amueblada con mucho confort, pero sin pretensiones de snobismo ni de magnificencia. Mesa para escribir grande, pero no de escritorio, colocada junto a uno de los balcones; en ella, el desorden natural de una mesa en la cual se trabaja: cuartillas, libros, periódicos y revistas, entre ellas tres o cuatro extranjeras de mujeres y modas. Cesto para papeles, etc. Junto al otro balcón, mesa de mecanógrafo con su máquina de escribir y bastante trabajo preparado en ella: cuartillas de taquigrafía, otras de máquina, cesto de papeles. Casi toda la pared de la izquierda, excepto el espacio que queda en último término para una puerta que da paso a las habitaciones interiores, está ocupada por un diván ancho y cómodo; cerca de él hay una mesita auxiliar, también llena de libros y papeles, pero en orden perfecto. Sobre el diván, cuadros pequeños y un espejito de porcelana o de talla, el único que hay en la habitación. En la pared derecha — último término — hay otra puerta que se supone conduce al vestíbulo y por la cual entran las gentes que se supone vienen de la calle; el resto de la pared está ocupado por una estantería baja, llena de libros. Sobre la tableta de la estantería algunos cacharros de buen gusto. Por las paredes algunos, pocos, cuadros modernos buenos y grabados antiguos. Sobre la mesa grande de escribir, una pecera redonda con peces de colores. Visillos de tul claro en los balcones; puertas, sin cortinas; el suelo de parquet; delante del diván, de la mesa de trabajo y de la mesa de la mecanógrafa, esterillas de junco de colores muy vivos. Sillas y sillones muy cómodos, ingleses.

Al levantarse el telón están en escena Irene y don Juan. Irene, la secretaria, muchacha de unos veintidós años, simpática, vestida con modestia, pero elegante; lleva, sobre un traje sastre sencillo, un delantal de seda negra, Don Juan, caballero de unos cincuenta años, bien vestido y ligeramente fatuo. La secretaria está sentada a la mesa de la máquina, poniendo en el orden más perfecto notas y papeles. Don Juan pasea mientras habla. Aunque está de visita, no tiene bastón ni sombrero, porque los ha dejado en el vestíbulo.

DON JUAN. Mucho tarda en volver nuestro insigne novelista.

IRENE. (*Ocupada.*) Sí.

DON JUAN. ¿ No sabe usted dónde ha ido ?

IRENE. (*Ocupada.*) No.

DON JUAN. Generalmente, no acostumbra a salir por la mañana, ¿ verdad ?

IRENE. (*Ocupada.*) No. (*Sin mirarle.*) Si quiere usted dejarle algún recado . . .

DON JUAN. Prefiero esperarle todavía un momento, si a usted no la molesta . . .

IRENE. Nada absolutamente.

DON JUAN. (*Que es de las personas que no pueden estarse calladas, aunque supongan que estorban hablando.*) ¿ Está usted trabajando ?

IRENE. No. (*Como ha terminado de arreglar los papeles, se levanta y se quita el delantal, que dobla cuidadosamente.*) Se acabó el trabajo.

DON JUAN. ¿ Por hoy ?

IRENE. Por hoy y para siempre. Ésta es mi última hora de secretaría « oficial ».

DON JUAN. ¿ Cómo « oficial » ?

IRENE. Sí; extraoficialmente, o si usted lo prefiere, fuera de oficio, seguiré viniendo unos cuantos días para poner a la nueva secretaria al corriente de sus obligaciones . . .

DON JUAN. (*Encandilado.*) ¡ Ah ! ¿ Ya tenemos secretaria nueva ?

IRENE. (*Riéndose.*) No . . . todavía no la tienen ustedes . . . No se entusiasme usted.

Se ha acercado a la mesa y pone en orden los libros y los papeles.

DON JUAN. No me entusiasmo; por bonita que sea, no me ha de gustar ni la mitad que usted. ¡ Ay, Irene, Irene ! ¿ Cómo tiene usted valor para dejarnos ?

IRENE. (*Sonriendo.*) Porque tengo valor para casarme . . .

DON JUAN. Es verdad . . . No me recuerde usted que hay un hombre que goza el irritante privilegio de ser novio de usted. (*Ella se ríe.*) ¿ Le querrá usted mucho ?

IRENE. (*Riéndose.*) ¡ Escandalosamente !

DON JUAN. ¿ Y el muy mastuerzo no se muere de gusto ?

IRENE. Prefiere seguir viviendo unos cincuenta años para dejarme una viudedad decentita.

DON JUAN. ¿ Militar, por más señas ?

IRENE. Sí, señor. (*Muy satisfecha y enumerando graciosamente.*) Ingeniero, simpático, buen mozo, hijo único y enamoradísimo de esta servidora. (*Se inclina.*) ¿ Necesita usted más informes ?

DON JUAN. (*Acercándose mucho a ella.*) ¿ Por qué no se ha querido usted casar conmigo ?

IRENE. (*Apartándose de él y mirándole con seriedad guasona.*) ¡ Porque siempre me ha inspirado usted muchísimo respeto !

DON JUAN. ¡ Qué manera tan fina de llamarme viejo !

IRENE. ¿ Yo a usted ? (*Haciéndose la muy modesta.*) No, señor; ¡ soy demasiado joven para atreverme a tanto !

DON JUAN. (*Riéndose.*) ¡ Es usted un demonio !

IRENE. (*Con fingido candor.*) ¡ Y mi novio que dice que soy un ángel !

DON JUAN. (*Volviendo a acercarse a ella.*) Dígame usted . . .

IRENE. (*Volviendo a apartarse y sumamente respetuosa.*) Usted mande . . .

DON JUAN. (*Maliciosamente, señalando al sillón donde sin duda se sienta el novelista, como si éste estuviese presente.*) Y . . . con el « grande hombre » . . . ¿ cómo no se ha casado usted ?

IRENE. (*Riéndose.*) ¡ Pero usted querría que me hubiese casado con todo el mundo !

DON JUAN. (*Con impertinencia.*) ¿ De veras, de veras no se han enamorado ustedes nunca ?

IRENE. (*Un poco seca, porque ya empieza a molestarla la conversación, pero esforzándose por seguir el tono de broma.*) No se nos ha ocurrido.

DON JUAN. (*Que no nota el matiz, insistiendo.*) ¿ A él . . . tampoco ?

IRENE. (*Muy seria.*) ¡ Por lo menos, nunca me lo ha dicho !

DON JUAN. (*Escandalizado.*) ¡ Parece mentira ! En

tres años de trabajar juntos... ¡Un hombre que escribe esas novelas tan sentimentales!

IRENE. ¡Ahí verá usted!

DON JUAN. (*Mirándola de arriba abajo con aire conquistador.*) ¡Aunque no hubiera sido más que por hacer un experimento!

IRENE. (*Muy seria y molesta.*) El grande hombre, como usted le llama, además de ser un admirable novelista, es un perfecto caballero, y sabe de sobra que una señorita decente no es un conejo de Indias.

DON JUAN. Usted perdone... no he querido ofenderla...

IRENE. (*Sin responder se sienta a la máquina de escribir y pone un plieguecillo de papel disponiéndose a trabajar.*)

DON JUAN. (*Incorregible.*) ¿No decía usted que se había acabado el trabajo?

IRENE. (*Muy seca.*) Sí, pero ahora recuerdo que tengo que escribir unas cartas mías que me interesan mucho. (*Escribe vertiginosamente.*) Usted dispense.

DON JUAN. ¿Es que desea usted que me vaya?

IRENE. (*Sin mirarle.*) Creo que es inútil que se moleste usted en seguir esperando, porque probablemente el señor de Córdoba ya no vendrá antes de almorzar.

Sigue escribiendo vertiginosamente y haciendo mucho ruido con la máquina.

DON JUAN. (*La mira bastante mortificado, va a acercarse a ella, pero lo piensa mejor y se dispone a marcharse.*) Vaya... pues buenos días...

IRENE. (*Sin moverse.*) Buenos.

DON JUAN. Usted dispense. (*Esperando aún renovar la conversación.*)

IRENE. No hay de qué. (*Sigue escribiendo.*)

DON JUAN. Y que sea muy enhorabuena.

IRENE. (*Secamente.*) Gracias.

Don Juan va a salir, pero tropieza en la puerta del vestíbulo con Guillermo, que es el criado del novelista. Guillermo es hombre de más de cincuenta años, con tipo medio de criado, medio de dómine. Está completamente calvo y va pulcramente vestido, pero no con librea, sino con ropa de buena tela y de buen corte que evidentemente no se ha hecho para él, lo cual demuestra que se viste con los trajes pasados de moda de su amo. Es amable, sonriente, discreto y feliz. Don Juan se detiene al verle entrar, porque le gusta enterarse de todo, y quiere saber a qué viene.

GUILLERMO. Señorita Irene: ahí en la antesala hay una señorita que pregunta por el señorito. Dice que viene a un asunto particular, por causa del anuncio del periódico.

DON JUAN. (*Encandilado.*) ¡ Una candidata ! (*A Guillermo.*) ¿ Es guapa ?

GUILLERMO. (*No contesta, y mira a Irene imperturbable.*)

IRENE. Que pase. (*Don Juan, como pretexto para esperar la entrada de la « candidata », mira de un lado para otro como buscando algo.*) ¿ Busca usted su sombrero y su bastón ? Están en la antesala.

DON JUAN. (*Con sorna.*) Es usted muy amable.

Va a salir, puesto que no hay más remedio, cuando entran Guillermo y Rosario. Rosario viene con traje sastre y sombrero pequeño, elegantísima, con todos los detalles, guantes, zapatos, medias, bolsillo, sombrilla, de irreprochable buen gusto. Don Juan al verla hace un elocuente gesto de apreciación admirativa, y parece más dispuesto que nunca a quedarse; pero Irene, que le adivina la intención, no lo consiente.

GUILLERMO. (*A Rosario.*) Tenga la señorita la bondad de pasar.

ROSARIO. (*Entra un poco aturdida, y mira a todos lados con cierto espanto. Mira a Irene, luego a Don Juan. Cree, naturalmente, que es « su » novelista y se dirige a él como para hablarle, sonriendo para darse valor a sí misma; pero se queda a mitad de camino y de sonrisa al oír a Irene, que dice a Guillermo*):

IRENE. (*A Guillermo.*) Guillermo, haga usted el favor de dar el bastón y el sombrero al señor Medina.

GUILLERMO. Sí, señorita. (*Sosteniendo la puerta correctamente.*) Pase usted, don Juan.

Don Juan sale furioso.

ROSARIO. ¡ Ah . . . creí !

Ha retrocedido un poco y está casi en la pared, junto a la puerta. Todo esto muy rápido.

IRENE. (*Amable.*) Que era el señor de Córdoba . . . No, señorita . . . ¡ afortunadamente ! El señor de Córdoba no está en este momento, pero no tardará mucho en volver. Si quiere usted tomarse la molestia de esperarle un instante . . . (*Le indica un sillón.*) Siéntese usted . . .

ROSARIO. (*Sin sentarse.*) ¿ Usted es su . . . señora ?

IRENE. (*Sonriendo.*) Soy su secretaria.

ROSARIO. (*Con desencanto.*) ¡ Ah ! . . . ¡ su secretaria . . . ! Entonces es inútil que le espere . . . Me marcho . . . usted dispense . . . Yo venía . . .

IRENE. ¿ A pretender el puesto ? (*Rosario afirma con el gesto.*) Siéntese usted. He dicho *soy* y he debido decir *he sido:* el puesto está vacante, yo estoy únicamente hasta que tome posesión mi sustituta. Tenga usted la bondad . . . (*Vuelve a indicarle el sillón y Rosario se sienta con un suspiro de satisfacción.*) Celebraré que sea usted. (*Se sienta frente a ella.*) Porque es usted simpática.

ROSARIO. Muchas gracias.

IRENE. (*Mira casi maternalmente a la habitación.*) Y no me gustaría dejar todo esto, a lo que he tomado tanto cariño, en poder de una buena señora que no supiera apreciar lo que vale.

ROSARIO. (*Con curiosidad.*) Y usted, ¿ por qué renuncia . . . ?

IRENE. (*Sonriendo satisfecha.*) Porque asciendo de empleo. Me caso.

ROSARIO. (*Alarmadísima.*) ¿ Con él ?

IRENE. No, señora. Con otro.

ROSARIO. (*Con descanso.*) ¡ Ah !

IRENE. ¿ Usted no le conoce ?

ROSARIO. (*Inocentemente.*) ¿ Al otro ?

IRENE. No. A . . . éste.

ROSARIO. No. (*Con alarma súbita, al reparar en que Irene sonríe.*) ¿ Está casado ?

IRENE. No.

ROSARIO. (*Queriendo darse aires de indiferencia.*)

Yo le admiro muchísimo, y me hubiese gustado tener su retrato, pero no se encuentra.

IRENE. No ha consentido en retratarse nunca. Dice que le gusta que sus lectoras puedan figurársele como un ser admirable, y que como cada una tendrá su ideal, más o menos fantástico, no quiere quitarle ilusiones con la realidad.

ROSARIO. (*Desilusionada.*) ¡ Ah ! ¿ Es feo ?

IRENE. (*Con el desprendimiento de quien se va a casar con « otro ».*) Ni feo ni guapo. Para hombre, no está mal.

ROSARIO. (*Da un suspiro de alivio.*) ¡ Ah ! ¿ Y es . . . ? (*Va a preguntar ¿ es joven?, pero le parece más correcto cambiar de adjetivo.*) ¿ Es viejo ?

IRENE. (*Con indiferencia.*) Unos treinta y ocho años.

ROSARIO. (*Mirando la habitación, muy complacida.*) ¿ Aquí trabaja ? (*Irene afirma con el gesto.*) ¡ Qué cuarto tan simpático ! ¡ Todo tan limpio, tan de buen gusto, tan en su sitio !

IRENE. (*Levantándose y poniendo derecha una silla.*) Sí; es el hombre más desordenado del mundo, pero no puede sufrir el desorden. Ésa es la principal misión de su secretaria; él, cuando se marcha, deja las cuartillas tiradas y sin numerar, los libros de consulta por el suelo, los papeles rotos en la carpeta y las notas que más le interesan en el cesto de los papeles rotos; y cuando vuelve le gusta encontrar cada cosa en su puesto, la mesa ordenada, las cuartillas en limpio, los libros que va a necesitar, aquí a la izquierda. ¿ Usted ya habrá desempeñado otra secretaría como ésta ?

ROSARIO. Como ésta, precisamente, no . . . pero . . .

IRENE. Ya . . . Viene usted de una casa de banca . . .

ROSARIO. No, señora . . . Vengo . . . porque un amigo me enseñó el anuncio y me dió una carta de recomendación.

IRENE. (*Interesada.*) ¡ Ah ! ¿ Trae usted una carta ?

ROSARIO. Aquí está.

Saca del bolso la carta que le dió el Aparecido y se la alarga a Irene.

IRENE. Se la pondremos encima de la mesa. (*Coge la carta, y, por instinto de curiosidad, mira el sobre y hace una exclamación de sorpresa.*) ¡ Eh !

ROSARIO. (*Alarmada.*) ¿ Qué pasa ?

IRENE. (*Mirando muy intrigada a la carta y a Rosario.*) ¿ Quién le ha dado a usted esta carta ?

ROSARIO. (*Un poco seca.*) Ya se lo he dicho a usted. Un amigo.

IRENE. (*Sin dejar de mirarla.*) Pero . . . ¿ a usted misma ?

ROSARIO. (*Un poco alterada.*) Sí . . . ¿ por qué ?

IRENE. Por nada. (*Deja la carta sobre la mesa.*) Es que me parecía conocer la letra.

ROSARIO. Es de don Prudencio González.

IRENE. (*Llena de asombro.*) ¡ Ah ! Pero ¿ usted conoce . . . personalmente . . . a don Prudencio González ?

ROSARIO. (*Alarmadísima, pero queriendo disimularlo.*) ¡ Naturalmente que le conozco ! ¿ Es alguna deshonra ?

IRENE. (*Sonriendo.*) ¡ Qué ha de ser ! Al contrario.

ROSARIO. (*Vacilando.*) Él me dijo . . . que era bastante amigo . . . del señor de Córdoba. ¿ No es verdad ?

IRENE. ¡ Ya lo creo ! (*Rosario da un suspiro de alivio.*) Y a propósito de amigos. (*Confidencial.*) Si se queda usted . . . que sí se quedará . . .

ROSARIO. (*Interrumpiendo, muy contenta.*) ¿ Lo cree usted probable ?

IRENE. (*Señalando la carta.*) Con esa recomendación, casi seguro.

ROSARIO. (*Juntando las manos con deleite.*) ¡ ¡ ¡ Ah ! ! !

IRENE. (*Confidencial.*) Pues, si se queda usted, tenga usted cuidado con ese señor gordo a quien yo hice salir cuando usted entró . . .

ROSARIO. (*Abriendo mucho los ojos.*) Don Juan he creído oír que se llama.

IRENE. Precisamente . . . Se llama don Juan y está empeñado en merecer el nombre. Le hará a usted el amor con una persistencia intolerable. (*Todo esto lo dice muy de prisa como para quitarle importancia.*) Le regalará a usted bombones, le dirá a usted bromitas sin gracia, no la dejará a usted trabajar en paz . . . pero no es eso lo peor . . .

ROSARIO. (*Abriendo mucho los ojos.*) ¿ No ?

IRENE. (*Con misterio.*) ¡ Lo peor es que tiene sobre el señor de Córdoba una influencia horrible ! (*Se sienta en el diván. Rosario, sugestionada por su aire de misterio, se sienta junto a ella y la mira ávidamente.*) ¡ Es un secreto ! Verá usted. Aunque en la vida real le gustan a morir las mujeres, en la literatura nos aborrece a todas.

Rosario. ¿ Cómo ?

Irene. (*Sin interrumpirse.*) . . . Y no está satisfecho más que cuando consigue que nos sucedan las mayores catástrofes.

Rosario. (*Intrigadísima.*) No entiendo . . .

Irene. ¿ Ha leído usted *Ilusión de Mayo?*

Rosario. (*Con entusiasmo.*) ¡ Claro que sí !

Irene. (*Con misterio.*) ¿ Se acuerda usted de aquella pobre niña tan rubia y tan bonita que vendía claveles y naranjas en Florencia a la orilla del Arno ?

Rosario. (*Como si hablase de una amiga querida.*) ¿ Bettina ?

Irene. (*Como si se tratase de una persona real.*) Sí, Bettina Florianni . . . la que se enamoró de aquel pintor inglés tan guapo y tan simpático . . .

Rosario. (*Interrumpiendo con interés ardiente y dolido.*) ¡ Y que luego una noche de luna se tiró al río . . . !

Irene. (*Interrumpiendo con apasionamiento.*) . . . Desesperada, porque resultó que él no la quería . . . es decir, la quería . . .

Rosario. (*Interrumpiendo.*) ¡ Pero estaba casádo con otra !

Irene. (*Con rencor.*) ¡ Pues él tuvo la culpa !

Rosario. ¿ Quién ?

Irene. (*Con rencor.*) ¡ Don Juan !

Rosario. (*Con odio y desprecio.*) ¿ Ese gordo antipático ?

Irene. (*Muy excitada.*) El mismo . . . que al principio, el inglés no estaba casado con nadie, pero él se empeñó en que es mucho más artístico y más conforme con la naturaleza humana el que un pintor rico engañe a una florista pobre, que el que la adore y se case con ella . . .

ROSARIO. (*Con indignación.*) ¿ Y el señor de Córdoba se dejó convencer ?

IRENE. (*Con sonrisa de dolido escepticismo.*) Como el otro es crítico y escribe en los periódicos . . . (*Con desprecio.*) Por supuesto, muy mal . . . eso me consta. (*Muy de prisa.*) Que un día me escribió un papelito declarándose, y le metió debajo de la máquina, y por decirme que tengo las manos tan bonitas que parecen de cera, me escribió que tengo las manos « cerúleas », ¡ ya ve usted ! (*Con indignación gramatical.*) Y además escribe general con jota y espontáneo con equis . . . ¡ un horror ! Pues ahora está empeñado en conseguir que Juanita Llerena . . . ¿ Usted lee *La Granada Abierta*, que se publica de folletín . . . ?

ROSARIO. (*Interrumpiendo con viveza.*) ¿ En la *Revista Griega?* ¡ Claro que sí !

IRENE. Pues se le ha metido en la cabezota que Juanita, que, como usted sabe, estudia la carrera de Farmacía, porque quiere ser una mujer digna, y ganarse la vida, y casarse con Mariano Ochoa . . .

ROSARIO. (*Interrumpiendo vivamente.*) Que es tan buena persona y tan simpático . . .

IRENE. (*Con indignación.*) ¡ Tiene que salir mal en los exámenes, y decirle que sí a aquel viejo rico, que lleva tres años haciéndole el amor !

ROSARIO. (*Con espanto.*) ¿ A don Indalecio ?

IRENE. (*Con afirmación fatalista.*) ¡ A don Indalecio !

ROSARIO. (*Levantándose indignada.*) ¡ Ay, eso sí que no ! ¡ De ninguna manera !

IRENE. (*Levantándose también.*) Dice que a una mujer tan soñadora como Juanita tienen que suspenderla por fuerza en Química Orgánica.

ROSARIO. (*Con aire de desafío.*) ¡ Ah ! ¿ Sí ?

IRENE. Y que además no hay niña contemporánea que prefiera un joven idealista y pobre a un viejo millonario.

ROSARIO. (*Indignada.*) ¿ De veras ?

IRENE. Y además, ¿ qué tiempo le queda de adorar al joven cuando se haya casado con el viejo ?

ROSARIO. (*En el colmo de la indignación.*) ¡ Pero ese hombre es un cínico !

IRENE. ¡ Ya ve usted ! (*Con grandísimo apuro.*) ¡ Y la semana que viene tiene que ir a la imprenta el original con la decisión de Juanita !

ROSARIO. (*Con inmensa ansiedad.*) ¿ Y ya se ha decidido por el viejo ?

IRENE. Todavía no . . . Ayer me dió el señor de Córdoba a copiar dos cuartillas, en que se decidía; pero al ver la cara que yo puse me las mandó romper.

ROSARIO. (*Con inmenso descanso.*) ¡ ¡ ¡ Ah ! ! ! (*Se sienta.*)

IRENE. No sabe usted lo que siento marcharme con esa incertidumbre. En lo de la pobre Bettina aun era posible transigir, porque al cabo la muerte es un final poético; pero esto de Juanita es horrible . . .

ROSARIO. ¡ Horrible y repugnante !

IRENE. (*Mirando al reloj.*) Ay, ¡ Dios mío ! Las

once y media ya, y mi pobre Paco que me estará esperando desde las once. (*Mira por el balcón levantando un visillo.*) Sí, allí está. (*Haciéndole señas.*) Voy . . . voy ahora mismo . . . Espera . . .

ROSARIO. (*Cogiendo su sombrilla.*) Por mí, no se detenga usted . . . Puedo marcharme.

IRENE. De ninguna manera. Usted se queda aquí . . . El señor de Córdoba vendrá inmediatamente . . . Me dijo que le esperase hasta las once . . . ya sabe que me tengo que marchar . . . Usted me hará el favor de decirle que mañana vendré antes de las nueve. (*Va a la mesa y, abriendo un cajón, saca un cepillo, con el que se cepilla mientras habla.*) ¡ Guillermo, que me voy ! Usted no sabe qué trajín son estos preparativos de boda. (*Se arregla el pelo en el espejo que hay sobre el diván, mientras habla.*) Y yo que, como no tengo madre, todo me lo tengo que arreglar solita. Gracias a que mi Paco es un ángel, y me acompaña siempre que puede, aunque, como es hombre, le fastidia ir de tiendas. (*Va hacia el balcón y hace señas al novio, que está esperando.*) Voy . . . voy . . . (*A Rosario, volviéndose.*) El pobre se impacienta. (*Muy seria, y con toda naturalidad.*) Hoy vamos a comprar las cacerolas. (*Entra Guillermo con un sombrero de señora en una mano y una sombrilla en la otra.*) Gracias, Guillermo. (*Coge el sombrero y se le pone, mirándose al espejo mientras habla.*) Esta señorita se queda aquí, porque tiene que hablar con el señorito.

GUILLERMO. (*Sonriente, teniendo la sombrilla y dando a Irene un velito que había dentro de ella.*) Sí, señorita Irene.

IRENE. (*Poniéndose el velillo.*) Si vuelve don Juan antes que el señorito no deje usted que pase.

GUILLERMO. (*Dándole la sombrilla.*) No, señorita Irene.

IRENE. Si vienen de la imprenta, encima de la mesa están las pruebas.

GUILLERMO. (*Que se ha acercado a la máquina y ha cogido un bolso, que ofrece a Irene.*) Sí, señorita Irene.

IRENE. (*Cogiendo el bolso.*) No deje usted de mudarles el agua a los peces.

GUILLERMO. (*Abriendo la puerta.*) Vaya usted descuidada, señorita Irene.

IRENE. (*Poniendo la mano sobre la pecera.*) ¡ Pobrecillos ! También siento dejarlos . . . (*A Rosario.*) Usted los cuidará . . . (*Con toda naturalidad.*) No comen más que moscas. (*Da la mano a Rosario.*) Me alegraré infinito de encontrarla aquí, mañana cuando vuelva. (*Le aprieta la mano con efusión.*)

ROSARIO. (*Con la mano cogida, y también efusiva.*) Muchísimas gracias.

IRENE. (*Sin soltarle la mano, y con acento de encargo supremo.*) Y ya lo sabe usted: en usted confío para lo de Juanita. Usted podrá influir.

ROSARIO. (*Encandilada.*) ¿ Usted cree ?

IRENE. (*Besándola efusivamente en las dos mejillas.*) Muchísimo más de lo que usted piensa. (*Con aire de misterio.*) Mañana le diré a usted por qué. (*Va vivamente hacia la puerta.*) ¡ Adiós, Guillermo ! (*Sale.*)

GUILLERMO. (*Sosteniendo la puerta respetuosamente.*) Que usted lo pase bien, señorita Irene. (*Se vuelve hacia

Rosario, que se ha quedado pensativa junto a la mesa y que mira, sin darse cuenta de ello, a la pecera.) ¿ Le ha chocado a la señorita lo de los peces ? Los tiene el señorito encima de la mesa siempre que trabaja, porque dice que el trajín de los bichos le ayuda a él a enredar a los enamorados que pone en las novelas. (*Filosófico.*) ¡ Cosas del arte y de la inspiración ! (*Muy convencido.*) ¡ Como no bebe ! . . . (*Sonriendo muy amable.*) Por las moscas no tiene que apurarse la señorita, si es que se queda; servidor trae todas las mañanas un cucurucho . . . que me las caza el chico de la tienda de comestibles . . . (*Timbre de teléfono dentro.*) Me parece que llaman al teléfono. Dispénseme un momento la señorita. (*Sale con calma.*)

ROSARIO. (*Al quedarse sola pasea un momento, un poco nerviosa, mirando con curiosidad todo lo que hay en la habitación: la máquina de escribir, los libros, etc. Por fin se para pensativa en contemplación de la pecera y dice casi inconscientemente y en voz baja*): ¡ Para enredar a los enamorados . . . !

Entra, sin que ella le vea, el Aparecido, que indudablemente viene de la calle; trae sombrero, pero no de paja, que se quita al entrar y conserva en la mano, junto con el bastón. Es hombre — ahora que se le ve a plena luz — de unos treinta y ocho años, simpático, sencilla y elegantemente vestido, con sonrisa benévola y un poquito guasona. Se queda mirando, complacido y sonriente, a Rosario, que no le ve entrar porque está de espaldas a la puerta; luego va despacito, de puntillas, a cerrar la puerta, y acercándose a ella dice con la más exquisita amabilidad.

El Aparecido. (*A Rosarito, muy de cerca y muy amable.*) ¿ Le interesan a usted los peces de colores ?

Rosario. (*Sorprendida.*) ¿ Eh ? (*Se vuelve, y al encontrarse tan cerca del Aparecido, se asusta casi tanto como cuando le vió entrar por la ventana, la noche antes, y da un grito.*) ¡ Ay !

El Aparecido. (*Acercándose a tranquilizarla.*) Señorita . . .

Rosario. (*Retrocediendo.*) ¡ No se acerque usted !

El Aparecido. (*Sonriendo.*) ¿ Pero todavía no está usted convencida de que no soy un alma del otro mundo ?

Rosario. (*Pasando del susto a la indignación.*) ¡ Caballero, no añada usted la burla a la persecución !

El Aparecido. (*Inclinándose cada vez con mayor amabilidad.*) Señorita, protesto humildemente . . .

Rosario. ¿ No le basta a usted con haberme comprometido . . . ?

El Aparecido. ¿ Yo a usted ?

Rosario. ¡ De un modo horrible ! ¿ A quién se le ocurre tirarme la babucha por la ventana ?

El Aparecido. (*Inclinándose.*) ¡ Como usted me tiró a mí el sombrero !

Rosario. ¡ Porque me daba lástima pensar que estaba diluviando y que iba usted a andar por esas calles sin nada a la cabeza !

El Aparecido. (*Inclinándose muy agradecido.*) ¡ También a mí me daba compasión pensar que el piececito compañero de esa mano piadosa se iba a quedar descalzo !

ROSARIO. (*Muy dolida.*) ¡ He tenido que fingir, que mentir, hasta que desmayarme !

EL APARECIDO. (*Muy asombrado.*) ¿ Y eso le importa a usted ?

ROSARIO. (*Ofendidísima.*) ¡ Naturalmente ! ¡ Me gusta decir siempre la verdad, y sólo la verdad !

EL APARECIDO. (*Con admiración.*) ¡ ¡ ¡ Siendo mujer ! ! !

ROSARIO. (*Sumamente digna, y recalcando el nombre con cierto desdén.*) ¡ Señor don Prudencio González, (*Cuando Rosario pronuncia su nombre, el Aparecido hace un gesto de asombro, como si no esperase oírle.*) tiene usted una idea completamente errónea del sexo femenino !

EL APARECIDO. (*Inclinándose humildemente.*) Es posible . . . es posible . . .

ROSARIO. (*Muy digna.*) ¡ Es seguro ! . . . (*Muy mujer superior.*) Por eso, sin duda, se figura usted que a una mujer como es debido puede halagarle una persecución . . .

EL APARECIDO. (*Interrumpiéndola muy serio.*) Usted perdone: ya dos veces, en cinco minutos, ha pronunciado usted esa palabra, y la verdad, no creo que haya habido en mi conducta nada absolutamente que la motive.

ROSARIO. (*Un poco sorprendida.*) ¿ Dice usted ?

EL APARECIDO. (*Inclinándose con exquisita finura.*) Aun a riesgo de mortificar una vanidad femenina . . . ¡ oh, justificadísima ! . . . me permito asegurar a usted que no he tenido nunca la menor intención de perseguirla.

ROSARIO. (*En son de desafío.*) ¡ Atrévase usted a

decir que no ha venido usted hoy a esta casa sabiendo o suponiendo que yo estaba en ella !

EL APARECIDO. (*Con humildad.*) Eso, realmente, no puedo negarlo. (*Ella hace un gesto de triunfo, como diciendo: ¿ Lo ve usted? Él continúa después de una brevísima pausa.*) Lo suponía . . . es decir, lo dudaba . . . es decir, para ser más exacto, ya que a usted le gusta tanto la verdad, me atrevía a esperarlo . . . a desearlo, si exige usted mayor exactitud . . . (*Ella hace un mohín de desagrado completamente hipócrita.*) ¿ Se ofende usted ? ¡ Mal hecho ! Además, por muy seria que se ponga usted, no lo creo. (*Ella va a protestar, pero él sigue hablando con voz a un tiempo insinuante y guasona.*) ¿ Qué hubiera usted pensado de mí, si después de haber tenido el honor de conocerla en circunstancias tan . . . digamos poéticas, no hubiese yo guardado de la . . . aventura un recuerdo, siquiera levemente sentimental ?

ROSARIO. (*Muy desdeñosa, como si ella estuviera por encima de todo sentimentalismo.*) ¿ Sentimental ?

EL APARECIDO. (*Con buen humor.*) ¡ No sea usted hipócrita !

ROSARIO. (*Ofendida.*) ¡ Caballero !

EL APARECIDO. (*Acercándose a ella con « calinerie » simpática, como si no tuviera para nada en cuenta su enojo.*) ¿ Usted no cree que unos cabellos rubios . . . ?

ROSARIO. (*Interrumpiendo, con rencor, por el poco caso que él pareció hacer de ellos la noche pasada.*) ¡ Tan endemoniados !

EL APARECIDO. (*Continuando, como si no hubiese notado el tono agresivo de la interrupción.*) . . . pero tan tenaces, y que se enredan tan cerca del pecho . . .

ROSARIO. (*Mirando, sin saber por qué, a la pecera, al oír la palabra « enredan », y dirigiéndose a los peces, con odio, como si ellos tuvieran culpa de algo.*) ¡ Ah... se enredan !

EL APARECIDO. (*Sin interrumpirse, como si ella no hubiese hablado.*) ... puedan tender un lazo a ... (*Buscando cuidadosamente la palabra.*) ... la imaginación de un hombre sensible ?

ROSARIO. (*Que en cuanto huele en el aire la sombra de una declaración se cree obligada a ponerse tonta.*) ¡ Caballero, le suplico a usted que no siga por ese camino !

EL APARECIDO. (*Acercándose un poco más a ella y hablando en voz insinuante entre ternura y guasa.*) ¿ De veras, de veras le parece a usted tan desagradable ?

ROSARIO. (*Cada vez más alterada.*) ¡ Me está usted insultando, señor mío !

EL APARECIDO. (*Retrocediendo, al parecer asustadísimo.*) ¡ Usted perdone ... usted perdone ! (*Ya casi junto a la pared, y hablando con precaución.*) ¡ Es usted una mujer terrible ! ¡ Nunca sospeché que cuatro inocentísimos conceptos de galantería elemental, dichos sencillamente para pasar el rato, pudieran producirle impresión tan tremenda ! ... ¿ Qué le sucedería a usted si oyese una declaración de amor ?

ROSARIO. (*Ya medio enloquecida por el desconcierto.*) ¡ Pasar el rato !

EL APARECIDO. (*Amabilísimo.*) ¡ Naturalmente ! (*Sonriendo con cierta fatuidad.*) ¿ O es que lo había usted tomado en serio ? (*Como ofendido.*) ¿ Me cree usted tan niño o tan impresionable que vaya a enamorarme de una mujer sólo por verla con el pelo suelto?

ROSARIO. (*Apretando los puños, y ya a punto de tirarle algo.*) ¿Y tiene usted valor para decirme...?

5 EL APARECIDO. (*Poniéndose el sombrero delante de la cara, como si ya le hubiese ella tirado un libro a la cabeza.*) ¡Como a usted no le gusta más que la verdad!

ROSARIO. (*Señalando la puerta imperiosamente.*) ¡Salga usted de aquí inmediatamente!

10 EL APARECIDO. (*Con resignación guasona.*) Ayer por la ventana... hoy por la puerta... ¡Se pasa usted la vida mandándome salir!

ROSARIO. ¿Quién le manda a usted pasársela entrando donde no le llaman?

15 EL APARECIDO. (*Ya en la puerta, como si no se resignase a marcharse sin una humildísima protesta.*) ¡Qué desagradecidas son las mujeres!

ROSARIO. (*Cayendo en el lazo.*) ¿Yo qué le tengo que agradecer a usted?

20 EL APARECIDO. (*Volviendo inmediatamente al centro de la habitación.*) ¡Ahí es nada...! La primera emoción que ha valido la pena en su vida de usted...

ROSARIO. (*Con desprecio.*) ¡Ah! ¿Usted se figura que yo me emocioné al verle a usted saltar?

25 EL APARECIDO. (*Con modestia afectada.*) No precisamente por ser yo el que saltara... pero... en fin...

ROSARIO. (*Con chiquillería.*) ¡Pues no me emocioné nada absolutamente!

EL APARECIDO. (*Indignado.*) ¿Entonces qué mil 30 diablos le hace a usted falta para emocionarse?

ROSARIO. (*Satisfechísima al creer que ha conseguido

hacerle rabiar.) ¡ Ahí verá usted ! ¡ Bien dicen que siempre es más lo que una se figura . . . !

EL APARECIDO. (*Levanta al cielo las dos manos, teniendo en una el bastón y los guantes y en otra el sombrero, y exclama con sorna*): Fíese usted, después de escuchar esto, del candor e inocencia de las niñas que leen *Ilusión de Mayo.*

Se ríe suavemente, y mira a Rosarito con aire de reproche casi paternal.

ROSARIO. (*Pataleando y ya casi con un verdadero ataque de nervios, a fuerza de rabieta.*) ¡ Calle usted . . . calle usted . . . salga usted ! (*Él un poco alarmado, porque comprende que ahora « va de veras » la nerviosidad, deja rápidamente en una silla el bastón y el sombrero, que ha conservado en la mano durante toda la escena, y se acerca a ella.*) ¡ No se acerque usted ! (*Tiembla nerviosísima y aprieta los dientes. Él, creyendo que va a desmayarse se acerca un poco más.*) ¡ Si me toca usted, grito ! (*Él, cada vez más asustado, alarga los brazos para sostenerla; ella grita.*) ¡ Guillermo ! ¡ Guillermo ! ¡ Guillermo !

Y huyendo del Aparecido, andando hacia atrás, se deja caer, sin desmayarse, en el diván. El Aparecido la mira, completamente en serio, sin atreverse a acercarse a ella. Entra Guillermo tan sonriente como de costumbre.

GUILLERMO. (*Entrando.*) ¿ Llamaba el señorito ?

Mira alternativamente al « señorito » y a la « señorita » y sonríe.

EL APARECIDO. ¡ Un vaso de agua con un poco de azahar ! . . .

ROSARIO. (*Alteradísima.*) ¡ Abra usted la puerta a este caballero y hágale usted salir inmediatamente ! (*Guillermo mira perplejo al Aparecido.*) ¿ No me oye usted ? (*Guillermo los vuelve a mirar a los dos, como esperando órdenes del Aparecido.*) ¡ Tenga usted la bondad de hacer lo que le mando ! (*Muy seria, dominando los nervios como puede.*)

EL APARECIDO. (*Con suavidad.*) ¡ No se atreve, porque teme que si él me hace salir a mí, le ponga yo a él de patitas en la calle !

ROSARIO. (*Con terror, comprendiendo a medias.*) ¿ Usted a él ? . . . entonces . . . usted . . . (*Casi gritando.*) . . . ¿ quién es usted ?

EL APARECIDO. (*Sonriendo.*) Guillermo . . . ¿ quién soy yo ?

GUILLERMO. ¿ El señorito me pregunta a mí quién es el señorito ? ¿ Quién va a ser el señorito ? ¡ ¡ El señorito ! !

ROSARIO. (*Con terror creciente.*) Es decir . . . el . . . el . . . el . . .

EL APARECIDO. (*Inclinándose humildemente.*) El dueño de esta casa, sí, señora . . . el humilde autor de *Ilusión de Mayo* . . .

ROSARIO. (*Mirándole casi con desvarío.*) ¡ Usted ! (*Con sorpresa infinita y despecho rabioso.*) ¡ ¡ Usted ! ! (*Con aflicción y decepción.*) ¡ ¡ ¡ Usted ! ! !

Se tira de bruces en el sofá y rompe a llorar desconsoladamente y con grandes sollozos.

EL APARECIDO. (*Comprendiendo que el llanto es el remate de la crisis nerviosa, dice rápidamente a Guillermo*): ¡ El agua y el azahar ! (*Guillermo sale. El Aparecido se sienta en el diván junto a Rosario y le habla con cariño, como a una niña, para tranquilizarla.)* ¡ Perdóneme usted!... ¡ Tranquilícese usted!... ¡ No llore usted, que no vale la pena! (*Ella sigue llorando, sin responder, pero calmándose poco a poco, inconscientemente arrullada por la voz insinuante de él.*) ¿ Es posible que le duela a usted tanto encontrar en mi humilde persona al admirado desconocido? (*Ella no contesta.*) ¡ Tenga usted la bondad de mirarme!... ¡ Vamos, Rosarito!

ROSARIO. (*Muy enfadada y con chiquillería.*) ¡ No me llame usted Rosarito! (*Saca el pañuelo del bolso y se limpia las lágrimas.*)

EL APARECIDO. (*Muy humilde.*) Como usted quiera ... ha sido sin querer. (*Entra Guillermo. El Aparecido le coge el vaso y le hace una seña de que se vaya. Guillermo sale de prisa y sin hablar.*) ¡ Beba usted un poco de agua con azahar!

ROSARIO. (*Sin mirarle, muy seca, pero muy chiquilla.*) ¡ Gracias ... no me hace falta! (*Se levanta de un respingo, y él se queda con el vaso en la mano.*)

EL APARECIDO. (*Sin levantarse.*) ¿ Dónde va usted?

ROSARIO. (*Con el tono de un chiquillo que dice: ¡ No juego!*) ¡ A mi casa!

EL APARECIDO. (*Levantándose, pero sin dejar el vaso.*) ¡ De ninguna manera! (*Ella da un paso; él se pone entre ella y la puerta.*) ¡ Hasta que se haya usted tranquilizado no se marcha usted! (*Ella, sin responder, recoge su sombrilla, que está en una silla; él se acerca y le quita la sombrilla, sin dejar el vaso.*) ¡ Haga usted el favor! (*Ella le mira con desafío.*) ¿ Qué pensará el portero si la ve a usted salir con esa cara?

ROSARIO. (*Rabiosa.*) ¡Sí! ¡Estaré hecha un demonio!

5 *Se quita el sombrero y le tira sobre el diván; luego se arrodilla sobre el diván también, y empieza a arreglarse el pelo muy de prisa mirándose en el espejito que hay colgado en la pared.*

EL APARECIDO. (*De lejos.*) ¿De veras no necesita
10 usted el agua de azahar?

ROSARIO. (*Sin volverse, muy seca.*) ¡No! (*Él se bebe todo el vaso de agua; ella le ve beber en el espejo.*) ¿Usted, sí, por lo visto?

EL APARECIDO. (*Dejando el vaso sobre la mesa.*) ¡Me
15 ha dado usted un susto...!

ROSARIO. (*Con sorna, dándose polvos.*) Usted perdone.

EL APARECIDO. Y usted... (*Acercándose con precaución al diván.*) ¿me ha perdonado ya?

20 ROSARIO. (*Volviéndose bruscamente al llegar él, de modo que casi tropiezan y quedan los dos en pie, muy cerca uno de otro y mirándose cara a cara...*) ¿Por qué me dijo usted anoche que se llamaba usted...?

EL APARECIDO. (*Interrumpiendo.*) ¿Prudencio?
25 (*Con un suspiro.*) ¡Ay! Porque, desgraciadamente, ése es mi nombre.

ROSARIO. (*Que quiere a toda costa seguir muy enfadada y no puede, porque el Aparecido, a pesar de todo, le es extraordinariamente simpático.*) ¿Entonces Luis
30 Felipe de Córdoba... es una impostura?

EL APARECIDO. Es un seudónimo... ¿Cómo quiere

usted que un autor de novelas románticas se llame Prudencio . . . y González por añadidura ? ¿ Qué mujer de buen gusto es capaz de lanzarse a abrir un libro si tropiezan sus ojos en la cubierta con ese nombre horrendo ? Tenga usted la bondad de recordar el efecto que le hizo a usted anoche . . .

ROSARIO. (*Aún muy enfurruñada.*) Sí . . . es verdad . . . pero de todos modos podía usted haberme dicho que era usted quien es.

EL APARECIDO. (*Bajando los ojos.*) No me atreví.

ROSARIO. (*Con sorna.*) Por timidez, ¿ verdad ?

EL APARECIDO. (*Sonriendo.*) No . . . Por pudor . . . (*Ella le mira con asombro indignado.*) Usted demostró por el desconocido autor de mis pobres novelas una admiración tan . . . apasionada, que no me pareció correcto imponerle a usted de golpe y porrazo la realidad humana de mi existencia. ¡ Hubiera sido poco menos que obligarla a usted a caer de rodillas ! ¡ No, no ! ¡ Imposible ! Además, ¡ flaqueza humana mía !, no pude soportar la idea de que se desilusionase usted en mi presencia.

ROSARIO. (*Vivamente.*) Entonces, ¿ a qué me dió usted la carta ?

EL APARECIDO. (*Suspirando.*) Otra flaqueza . . .

ROSARIO. (*Mirándole de reojo.*) ¿ Cuál ?

EL APARECIDO. (*Con precaución.*) ¿ Me promete usted . . . no ponerse nerviosa ?

ROSARIO. (*Entre dientes.*) ¡ No tenga usted cuidado !

EL APARECIDO. Pues . . . (*A medida que habla va retrocediendo y apartándose de ella como si la tuviera miedo.*) Le di a usted la carta . . . porque . . . como ya he tenido el honor de decirle... me interesaba... mucho... volver a verla... (*Ella no se mueve.*) Si anoche yo le hubiese pedido a usted permiso para visitarla, es probable que usted me le hubiese negado... (*Rosario le mira con intención aviesa, pero no responde.*) Si me hubiese atrevido a rogar a usted que viniese a visitarme a mí...

Rosario. (*Interrumpiéndole indignada.*) ¡Caballero!

El Aparecido. (*Con calma, inclinándose.*) ¿Ve usted cómo no había otro remedio?

Rosario. (*Con amargura.*) ¡Por lo visto, estando en su casa, ya no le duele a usted el espectáculo de mi desilusión!

El Aparecido. (*Sinceramente.*) ¡¡¡Muchísimo!!!

Rosario. ¿Entonces?

El Aparecido. (*En tono de confesión humilde.*) Es que... a decir verdad... yo no contaba con ser testigo de ella.

Rosario. (*Sorprendida.*) ¿Cómo?

El Aparecido. Esperaba que al entrar yo aquí ya estuviese usted desilusionada... (*Ella le mira con curiosidad.*) Cuando usted ha venido, yo no estaba en casa...

Rosario. ¡Usted no sabía a qué hora iba a venir!

El Aparecido. ¡Ay, no lo crea usted! La he visto a usted pasar desde el bar de la esquina, y he estado haciendo tiempo... (*Rosario le mira con asombro creciente.*) ¿Usted no se ha encontrado aquí con mi ex secretaria?

Rosario. (*Que recuerda y empieza a indignarse contra Irene.*) ¡Sí!

EL APARECIDO. ¿ No le ha dicho usted a qué venía ?

ROSARIO. (*Entre dientes.*) ¡ ¡ Sí ! !

EL APARECIDO. ¿ No le ha entregado usted mi carta ?

5 *Cada una de las preguntas las va haciendo con mayor tono de admiración, por lo inverosimil que le parece el silencio que ha guardado Irene.*

ROSARIO. ¡ ¡ ¡ Sí ! ! !

EL APARECIDO. ¿ Y no se ha sorprendido al ver la
10 letra ?

ROSARIO. (*Con violenta indignación.*) ¡ ¡ ¡ Muchísimo ! ! ! (*Mordiendo las palabras.*) ¡ Ah, pécora !

EL APARECIDO. ¿ Y no le ha dicho a usted . . . ? (*Anonadado ante la revelación, se lleva las manos a la*
15 *cabeza.*) ¡ Santo cielo ! ¡ Hay mujer capaz de guardar un secreto !

ROSARIO. (*Con rencor.*) ¡ Cuando es de un hombre, parece que sí !

EL APARECIDO. (*Sonriendo.*) Siempre se aprende
20 algo.

ROSARIO. (*Con desabrimiento.*) Le felicito a usted por el descubrimiento . . . Y ahora (*Va a coger su sombrero.*) ¿ puedo marcharme ? ¿ Cree usted que ya estoy lo suficientemente tranquila para no escandalizar
25 al portero ?

EL APARECIDO. Sí, señora; pero, por lo mismo, ya no hay necesidad ninguna de que usted se marche . . . Tenga usted la bondad de dejar el sombrero. (*Con insistencia cariñosa.*) Sea usted generosa. Dígame
30 usted que me perdona . . .

ROSARIO. (*Con amargura.*) ¿ Esta burla ?

El Aparecido. (*Con voz emocionada.*) Este juego inocente . . . Aunque soy bastante más viejo que usted, algunas veces siento la necesidad imperiosa de hacer una chiquillería. (*Ofreciéndole con autoridad mimosa una silla que hay junto a la mesa.*) Siéntese usted. (*Ella se sienta, y él le quita el sombrero de la mano.*) ¡ Gracias ! Sonría usted . . . (*Ella sonríe, contagiada por la invencible sonrisa de él.*) ¡ Muchísimas gracias ! Además . . . usted tuvo la culpa . . . ¡ Estaba usted tan niña, tan muñeca, con aquel pelo suelto y aquellas babuchas ! (*Ella frunce el ceño.*) ¡ No frunza usted el ceño . . . . Ya sé que no le gusta a usted ser un juguete . . .; que es usted, a pesar de las apariencias, una persona formalísima, una mujer moderna . . . De eso se trata ahora. (*Se sienta con toda seriedad en el sillón de la mesa de trabajo, de modo que la mesa queda entre los dos.*) Usted se ha dignado venir a mi casa, con un propósito que a mí me honra infinitamente . . . Ahora que ya nos conocemos, podemos ocuparnos del asunto con toda seriedad. ¡ Olvidemos a ese chisgarabís de Prudencio González ! Luis Felipe de Córdoba tiene el honor de preguntar, con todo respeto, a la señorita Rosario Castellanos: ¿ Quiere usted ser mi secretaria ?

Antes de que Rosario haya podido contestar se oyen en el vestíbulo las voces de Guillermo y de Amalia.

Amalia. (*Dentro, con marcadísimo acento andaluz.*) ¡ Déjame, hombre . . . no seas pelmaso !

Guillermo. Es que está trabajando.

Amalia. (*En la puerta.*) ¡ Con eso descansa ! (*La puerta se abre con cierta violencia, y entra Amalia. Es mujer de unos treinta años, vistosa, vestida con agresiva elegancia. Aunque es por la mañana, trae exageradísimo sombrero y traje más bien de tarde: está muy guapa; aunque, desde luego, le sentarían muchísimo mejor el pañolón y la peina que el traje y el sombrero de gran modisto. Pertenece al respetable gremio de cupletistas guapas y con mala voz. Al entrar, como Pedro por su casa, y antes de haber visto a Rosario ni al Aparecido, dice con guasa de intimidad perfecta.*) Pero ¿dónde te metiste anoche, grandísimo . . . ? (*Viendo a Rosarito y cortándose un poco.*) ¡Ay! Usté dispense . . . y tú también, hijo, si es que me colé . . .

Rosario al verla entrar se pone en pie con violencia. El Aparecido, que se ha llevado una sorpresa formidable, se pone en pie también, pero domina la situación casi inmediatamente.

EL APARECIDO. (*Con calma.*) ¿No te ha dicho Guillermo que estoy trabajando?

AMALIA. (*Entre cortada e impertinente.*) Sí . . . pero creí que trabajabas solo.

EL APARECIDO. (*Sin hacer presentaciones.*) Esta señorita es mi secretaria.

AMALIA. (*Mirando a Rosario con indiferencia perfecta.*) Por muchos años. (*Se dirige al extremo opuesto de la habitación.*) Tengo que desirte cuatro palabras. . .

EL APARECIDO. (*A Rosario.*) ¿Usted permite?

Rosario da media vuelta.

AMALIA. (*Al Aparecido.*) Ven acá tú. (*Hablándole en voz baja cuando se le acerca.*) ¿A ti te parese ni medio desente el tener esperando a una mujé hasta la madrugá sin mandar ni una mala rasón? (*Habla en broma.*) ¿Por qué no viniste?

EL APARECIDO. Porque me cogió la tormenta y perdí en la calle el sombrero.

AMALIA. ¿ Y la cabesa no ? ¡ Lástima hubiera sido, con lo presiosa que es ! (*Le da con el abanico.*)

5 EL APARECIDO. (*Mirando lleno de susto a Rosario, que mira, obstinadamente a los peces.*) ¡ Haz el favor . . . !

AMALIA. (*En guasa.*) ¡ Huy, qué geniaso se les pone a los novelistas cuando cae una en mitá de capítulo !

EL APARECIDO. (*A Rosario, que ha cogido su sombrero, su bolso y su sombrilla.*) Tenga usted la bondad de no marcharse, que no hemos terminado.

Rosario tira con rabia el sombrero y la sombrilla y se pone a mirar por el balcón.

AMALIA. Eso quiere desí muy finamente que me 15 marche yo, ¿ no ?

EL APARECIDO. Si no te molesta . . .

AMALIA. No me molesta porque te vas a venir tú conmigo. Ya ves tú si soy buena . . ., anoche me dejaste plantá y hoy vengo y te convido a almorsá . . . 20 ¡ Anda, que abajo tengo el *artomovi* !

EL APARECIDO. No puede ser . . .

AMALIA. ¿ Tampoco ? ¿ Es que te vas a meté cartujo ?

EL APARECIDO. Ya sabes que yo, por la mañana . . .

25 AMALIA. Ya lo sabemos, ya . . . Estamos convensidos de que er trabajo es cosa sagrá . . . Pero un día es un día . . . ¡ Se te dará una indernisasión !

EL APARECIDO. (*Muy serio.*) No. Tengo que terminar.

30 AMALIA. (*Condescendiente.*) Termina, hijo, termina. (*Se sienta en un sillón de golpe.*) Aquí te aguardo.

EL APARECIDO. No, no . . . mejor es que te vayas . . . yo voy luego . . . en seguida, dentro de media hora . . .

AMALIA. (*Sin moverse.*) ¿ Palabra . . . ?

EL APARECIDO. (*Un poco nervioso.*) Sí, anda . . . anda . . .

AMALIA. (*Levantándose con calma.*) ¿ Has visto tú en tu vida una arcángela con sombrero de la rue de la Paix ? (*Pronuncia correctamente las palabras francesas, aunque con acento andaluz.*) Pues ésa soy yo, que no te creo ni tanto así, y hago lo mismo que si te creyese . . . ¿ Vendrás ? ¿ Vendrás ? ¿ Vendrás ? (*Él contesta sólo con el gesto, nervioso, mirando a Rosario, que sigue en el balcón dándoles la espalda.*) ¡ Ay, novelista ! ¡ Como no vengas, vuelvo a sacarte los ojos !

EL APARECIDO. (*Llevándola a la puerta.*) Anda ya . . . ¡ Saluda !

AMALIA. (*A Rosario, que no se vuelve.*) Muy buenos días. (*En la puerta.*) ¿ Sabes que me van dando a mí que pensar estas ayudantas tan superferolíticas ? ¿ Para qué tienes tú secretaria ?

EL APARECIDO. ¿ Para qué tienes tú secretario ?

AMALIA. ¡ Anda éste ! ¡ Porque no sé escribir con puntuasión ! Pero es muy diferente, porque mi secretario es mi hermanito. (*Él la empuja con un poco de impaciencia, y ella sale.*)

EL APARECIDO. (*A Rosarito.*) Un momento. (*Sale a despedir a Amalia.*)

Rosarito, rabiosa, coge el sombrero, se le encasqueta sin mirarse al espejo, coge la sombrilla, el bolso y los guantes, y cuando él entra, está ya casi junto a la puerta para marcharse.

EL APARECIDO. (*Fingiendo escandalizada sorpresa.*) Pero ¿ se marcha usted ?
ROSARIO. (*Secamente.*) ¡ Muy buenos días !
EL APARECIDO. (*Interponiéndose entre ella y la*
5 *puerta.*) ¿ Sin contestar a mi proposición ?
ROSARIO. (*Queriendo pasar.*) ¡ Que usted lo pase bien !
EL APARECIDO. (*Con desolación cómica.*) ¡ Y qué voy a hacer yo sin secretaria !
ROSARIO. (*Con el ceño fruncido.*) ¡ Déjeme usted
10 pasar !
EL APARECIDO. (*Delante de la puerta, suplicante.*) ¡ No sea usted cruel ! (*Junta las manos.*) Si usted se marcha, ¿ a quién le dicto yo el primer capítulo del *Sueño de una noche de agosto ?*
15 ROSARIO. (*Sin poder disimular por más tiempo su rabia celosa.*) Pues a esa . . . señorita . . .
EL APARECIDO. (*Llevándose las manos a la cabeza.*) ¡ Santo cielo !
ROSARIO. O a su señor hermano . . .
20 EL APARECIDO. ¡ ¡ Rosarito ! !
ROSARIO. ¡ Le prohibo a usted que me vuelva a llamar por mi nombre !
EL APARECIDO. (*Con desolación cómica.*) ¡ Tan bonito como es !
25 *Toda esta parte de la escena la hacen como jugando al escondite o al toro, porque ella quiere salir buscándole las vueltas, y él se interpone siempre con movimientos lentos, pero matemáticos, cortándole el paso; él no pierde la calma, pero ella se pone gradualmente*
30 *nerviosísima.*
ROSARIO. ¡ ¡ ¡ Caballero ! ! !

Está a punto de conseguir salir; pero él la detiene con una pregunta.

EL APARECIDO. Pero ¿ usted sabe quién es esa señora ?

ROSARIO. (*Deteniéndose un momento, que él aprovecha para ganar posiciones ventajosas.*) ¡ La misma a quien anoche tenía usted . . . tantísimo interés en visitar !

EL APARECIDO. Y a quien no visité . . . (*Sonriendo.*) por culpa . . .

ROSARIO. (*Sarcástica y agresiva.*) ¿ Mía ?

EL APARECIDO. (*Inclinándose y en tono afectuoso.*) Rosarito . . . (*Corrigiéndose vivamente.*) Es decir, señorita Castellanos: ya que quiere usted ser una mujer moderna . . . (*Ella frunce el ceño.*) tenga usted, si puede, (*Ella da pataditas en el suelo.*) un poco de lógica. (*Ella le mira con expresión peligrosa.*) Mis relaciones con la señorita Amalia Torralba, por otro nombre « La Estrellita Polar » . . .

ROSARIO. (*Estallando.*) ¡ Me importan un comino !

EL APARECIDO. (*Con calma.*) Entonces, ¿ por qué le indignan a usted tanto ? (*Ella se queda un instante completamente anonadada.*) Es usted una princesa rubia, de cuento de hadas, digna de ser amada con la más exquisita de las lealtades; pero por muy endemoniados que tengan los cabellos, las princesas no tienen derecho a pedir a los pobres novelistas que les hayan guardado fidelidad antes de haberse enredado en ellos. Yo anoche, al salir de mi casa para ir a esa . . . visita, no tenía el honor de sospechar la existencia de usted; por lo tanto, aunque me honra infinito la susceptibilidad celosa que usted muestra . . .

ROSARIO. (*En el colmo de la indignación.*) ¡ Celosa ! . . . ¿ Ha dicho usted celosa ? . . .

EL APARECIDO. (*Queriendo calmarla.*) ¡ Señorita ! . . .

ROSARIO. (*Queriendo sacarle los ojos.*) ¿ Ha dicho
5 usted celosa ? . . .

EL APARECIDO. (*Defendiéndose.*) ¡ No, no, no !

ROSARIO. (*Balbuceando y conteniéndose.*) Pero entonces . . . es que usted se figura . . .

EL APARECIDO. (*Suplicante.*) ¡ No me figuro nada,
10 nada, nada !

ROSARIO. Está bien . . . está bien . . . ¡ Celosa ! Buenos días . . . (*Da media vuelta.*)

EL APARECIDO. Pero usted considere . . . (*Deteniéndola.*) que aunque yo hubiera dicho . . . lo que usted
15 supone . . .

ROSARIO. (*Queriendo pasar.*) ¡ Ah ! Supongo . . .

EL APARECIDO. ¡ Y aunque fuera verdad . . . !

ROSARIO. ¡ Paso, o grito !

EL APARECIDO. ¡ El amor no es crimen !

20 ROSARIO. ¡ Haga usted el favor de no acercarse !

EL APARECIDO. Es que yo estoy dispuesto . . .

ROSARIO. ¿ A irse a almorzar con esa señorita ?

EL APARECIDO. ¡ Qué quiere usted que haga, si se lo he prometido !

25 ROSARIO. ¡ Que sea enhorabuena !

EL APARECIDO. (*Viendo que no la puede detener, se pone delante de la puerta, con los brazos abiertos.*) Rosario . . . Rosarito . . .

ROSARIO. (*Furiosa.*) ¡ Déjeme usted pasar !

30 EL APARECIDO. *Cerrándola el paso.*) Por el amor de Dios . . . tenga usted la bondad . . . de atender a razones . . . ¡ como si fuera usted un hombre !

ROSARIO. (*Dándole un empujón, que casi le tira al suelo y la deja el paso libre.*) ¡ No me da la gana ! (*Sale rapidísimamente, dando un portazo.*)

EL APARECIDO. (*Va a la puerta, la abre, sale al pasillo y grita.*) ¡ Rosario . . . Rosarito ! (*Pero antes de haber salido del todo, suena con violencia la puerta de la calle. Entonces él suspira y sonríe, primero con resignación, luego con malicia, luego con ternura; va hacia el balcón andando con precaución, como si aún ella pudiera verle u oírle, levanta el pico del visillo y se queda mirando a la calle por donde se supone que ella se aleja, con interés de verdadero enamorado, hasta que supone que ella ha vuelto la esquina. Entonces vuelve a suspirar y a sonreír y se sienta a la mesa escritorio y llama.*) ¡ Guillermo ! (*Se pone con toda calma a ordenar las cuartillas que tiene encima de la mesa.*)

GUILLERMO. (*Entrando.*) Mande el señorito.

EL APARECIDO. (*Con calma.*) Compra dos botellas de champagne y un ramo de rosas, y llévalo inmediatamente a casa de la señorita Amalia.

GUILLERMO. ¿ Y le digo que va el señorito a almorzar en seguida ?

EL APARECIDO. No; le dices que he recibido un telegrama urgente, que acabo de marcharme en automóvil y que no volveré en un par de semanas . . .

GUILLERMO. (*Sonriendo.*) Está bien. (*Sale.*)

EL APARECIDO. Al salir, cierra, y dile al portero que no suba nadie, que voy a trabajar.

GUILLERMO. Sí, señorito. (*Sale.*)

EL APARECIDO. (*Se sienta a la mesa y escribe rápidamente, leyendo a medida que escribe.*) Sueño de una noche de Agosto . . . Novela romántica en tres partes . . . Capítulo primero. (*Sigue queriendo escribir, pero la inspiración no acude todo lo de prisa que él desearía, y después de pensar un momento y de hacer algún gesto de impaciencia, coge la pecera, se la pone delante, apoya los dos brazos en la mesa, se sujeta la cabeza con las dos manos y dice mirando fijamente a los peces*): Vamos a ver . . . Vamos a ver . . .

TELÓN

ACTO TERCERO

La misma decoración que en el primero: es de noche. La ventana está abierta y la luz encendida. Están en escena Rosario y sus tres hermanos, y doña Barbarita. Doña Barbarita, sentada en un sillón, junto a la mesa, mira un semanario ilustrado, sonriente como siempre. Rosario, acurrucada en el diván, tiene cara de profundísimo mal humor, que no intenta dominar ni disimular. Los hermanos están, como en el primer acto, en tren de marcha, pero hoy van todos de americana. Emilio, en pie, junto a la mesa, acaba de cerrar su carta para la novia ausente. Pepe se cepilla cuidadosamente. Mario está junto a la ventana, y mira a la calle.

PEPE. (*A Mario.*) ¿Lloverá?

MARIO. No lo creo: hace una noche bochornosísima, pero no hay una sola nube.

DOÑA BARBARITA. Ni corre un pelo de aire.

EMILIO. Luego se armará una tormenta como anoche, y puede que refresque.

MARIO. Me parece que no. ¡Es calma chicha!

DOÑA BARBARITA. (*Dándose aire con el periódico.*) ¡Uf! ¡Se ahoga uno!

ROSARIO. (*Agresiva.*) ¡Sí, como estos niños han estado fumando los tres, han puesto una atmósfera irrespirable! ¡Es una gracia! ¡Ellos disfrutan, y nosotras tenemos que sufrir este olor repugnante! (*Sacude el aire con el pañuelo.*)

MARIO. (*Muy sorprendido.*) ¿Desde cuándo te molesta el olor a tabaco?

ROSARIO. (*Displicente.*) ¡ Me ha molestado siempre !

EMILIO. Pues no lo has dicho nunca.

ROSARIO. (*Displicentísima.*) ¡ Por amabilidad ! (*Mario tira por la ventana el cigarrillo que estaba fumando.*) No; sigue, sigue, no hagas sacrificios. (*En tono de víctima.*)

MARIO. (*La mira con asombro, pero no dice nada.*)

MARÍA PEPA. (*Entra con una carta en la mano.*) Un continental.

ROSARIO. (*Vivamente interesada.*) ¡ Trae !

MARÍA PEPA. (*Con calma.*) Es para Pepito.

Entrega la carta a Pepe. Rosario hace un gesto de decepción rabiosa, y vuelve a acurrucarse en el diván.

PEPE. (*Con sorna.*) ¿ Esperabas carta ?

ROSARIO. (*Displicente.*) ¿ Yo ? (*En tono de víctima.*) ¡ No sé de quién !

MARIO. (*Con asombro.*) Pero, Rosarito, ¿ qué te pasa ?

ROSARIO. Nada. ¿ Qué me va a pasar ? (*Se sienta a la mesa y, buscando papel y sobre, escribe.*)

EMILIO. (*A María Pepa.*) Y para mí, ¿ no ha venido nada ?

MARÍA PEPA. Nada.

EMILIO. ¿ En el correo de la tarde tampoco ?

MARÍA PEPA. Tampoco.

EMILIO. Es extraño; ni ayer ni hoy; es la primera vez que me falta la carta dos días seguidos.

ROSARIO. (*Displicente.*) Se habrá enterado de lo muy a gusto que te diviertes en la ausencia, y habrá pensado, con razón, que no te hacen falta más distracciones. ¡ Lo que es si fuera yo, mañana mismo te daba la absoluta !

Emilio. (*Asombrado.*) ¡ Pero niña ! ¿ Qué dices ?

Mario. (*Sin hablar, se acerca y pone a Rosario la mano en la frente.*)

Rosario. (*Displicente.*) ¿ Qué haces tú ?

Mario. Ver si tienes calentura . . . (*Ella le mira con asombro.*) Sí . . . porque ese mal genio no es natural.

Rosario. (*Muy ofendida.*) Vamos . . . Ahora resulta que tengo mal genio.

Mario. No le tienes, y por eso me extraña que le demuestres.

María Pepa. Será el calor.

Rosario. No tengo mal genio . . . es que estoy aburrida.

Pepe. ¿ Que estás aburrida ? Pues te convido. Andà, vístete . . . Vamos a los Jardines, que esta noche debuta la Estrellita Polar.

Rosario. (*Mordiendo las palabras.*) ¡ Ah ! ¿ Esta noche debuta la Estrellita Polar ?

Emilio. ¿ La conoces ?

Doña Barbarita. (*Enseñando el semanario que ha estado leyendo.*) Aquí esta retratada.

Los tres hombres. (*A un tiempo.*) ¡ A ver, a ver, a ver !

Precipitándose a coger el periódico y mirándole los tres a un tiempo.

Emilio. ¡ Qué garbo !

Pepe. ¡ Qué mujer !

Mario. ¡ Qué salero !

Rosario. (*Rabia aparte sin que nadie repare en ella.*)

EMILIO. Y eso que ahora se ha echado a perder con ese montón de amigos literatos que dicen que tiene, y que la meten en bailes de extranjis que no son lo suyo . . .

MARIO. Ésas son tonterías. Ahora baila mejor que ha bailado nunca.

EMILIO. Ha nacido para bailar flamenco, y Santas Pascuas . . . (*Tirando el periódico.*) ¡ Mira tú que vestirse de Madame Pompadour ! ¡ Es un sacrilegio !

PEPE. ¡ ¡ Ay ! ! vestida aunque sea de fraile, me la quiero encontrar por el camino el día en que yo sea millonario. (*Recogiendo el periódico que ha tirado Emilio.*) ¡ Santa Bárbara bendita, qué ojos ! (*Hablando con el retrato.*) ¡ Rica ! ¡ Preciosa ! ¡ Ay ! ¡ si tú supieras lo que te quiere un pobre, de seguro que hacías una limosnita ! (*A Rosario.*) Anda, niña, anda, que a las once empieza.

ROSARIO. (*Seca.*) Gracias.

PEPE. (*Muy asombrado.*) ¿ No quieres venir ?

ROSARIO. No. (*Un poco más suave.*) Me da miedo pensar que si te desmayas de emoción al verla, te voy a tener que sacar en brazos.

EMILIO. Por eso no te apures, que yo te ayudaré.

ROSARIO. ¡ Ah ! ¿ También vas tú ? (*Emilio afirma con el gesto.*) ¡ Vaya ! (*A Mario, con sorna.*) ¿ Y tú no ?

MARIO. (*Suspirando.*) ¡ Si no fuera por la obligación pícara !

ROSARIO. (*Estirándose.*) ¡ Ay ! ¡ Si yo pudiera enamorarme de un equilibrista !

LOS TRES HERMANOS. (*A un tiempo, con aire escandalizadísimo.*) ¡ Niña !

DOÑA BARBARITA. (*Muy seria.*) ¿ Por qué no ? Toreros y tenores, cómicos y danzantes, siempre han tenido grandísimo partido con las damas.

MARIO. Sí, con las damas un poquito histéricas.

EMILIO. (*Con sorna.*) Y un muchito desequilibradas.

ROSARIO. (*Ofendida.*) ¡ Muy bien ! De modo que si yo pierdo el juicio por un bailarín, soy una pobre histérica, y vosotros, que estáis locos de atar por una bailaora, sois tres hombres modelos de equilibrio.

MARIO. ¡ Es muy distinto !

PEPE. ¡ Claro !

EMILIO. ¡ Y tan distinto !

ROSARIO. ¿ Por qué ?

EMILIO. Pues . . . (*Se detiene sin saber qué decir.*)

PEPE. Pues . . . (*Se detiene también.*)

MARIO. Porque . . .

ROSARIO. (*Interrumpiéndole.*) ¡ Por nada ! (*Displicente.*) Pero no tengáis miedo . . . ¡ No me pienso perder ni por Nijinki ! (*Con amargura.*) Lo que me extraña es que hasta hombres de grandísimo talento . . .

PEPE. (*Inclinándose.*) ¡ Gracias !

ROSARIO. ¡ No lo digo por ti ! . . . puedan volverse locos por una cara. (*Con desdén, pensando en la de la Estrellita.*) que después de todo no es ningún asombro, y cuatro piruetas. (*Levantándose muy digna.*)

PEPE. (*A Rosario.*) Bueno, ¿ en qué quedamos ? ¿ Vienes o no vienes ?

ROSARIO. (*Ya más amable.*) No voy, no. Muchas gracias. Estoy cansada.

EMILIO. (*Con guasa.*) Será del paseíto de esta mañana.

MARIO. (*Con naturalidad.*) Es verdad. ¿ Dónde has ido, que has llegado tarde a almorzar ?

ROSARIO. (*Con renovado mal humor.*) ¿ Dónde fuiste tú anoche, que no has llegado a acostarte ni tarde ni temprano ?

PEPE. ¡ Santo cielo ! ¡ Esta niña está imposible !

EMILIO. Sí, sí, vámonos pronto, que nos va a tirar algo. Adiós, abuela. (*Se despide, besando la mano a doña Barbarita, como en el primer acto.*) Adiós, preciosa.

PEPE. (*Que ha besado la mano a su abuela sin decir nada.*) Cerrad bien la ventana, no vaya a volver el fantasma.

EMILIO. (*Queriendo hacer rabiar a Rosario.*) Sí, que a Rosarito le sientan muy mal las apariciones nocturnas . . .

PEPE. (*También por hacer rabiar a Rosario.*) ¿ Sabéis por qué está triste ? ¡ Porque no la han raptado !

EMILIO. No te hagas ilusiones, hija mía. El hombre venía a robar los cubiertos; pero se equivocó de ventana . . .

PEPE. ¡ Y robó la babucha !

EMILIO. Y luego te la volvió a tirar, porque le pareció un poquito demasiado grande.

PEPE. ¡ No sirves para cenicienta ! (*Todos se ríen.*)

ROSARIO. (*Rabiosa.*) ¿ Queréis hacer el favor de marcharos y dejarnos en paz ?

MARIO. Adiós, abuela. No pongas mala cara, que hoy vendré tempranito.

DOÑA BARBARITA. (*Con sorna.*) Sí, sí . . . bien defendidas estamos . . .

EMILIO. Porque tú no quieres. ¿ A qué no me has

dejado dar parte, avisar a la Policía de lo que pasó anoche ?

DOÑA BARBARITA. ¡ Bah, bah, dar parte ! . . . ¡ No hay para qué ! Ya hemos registrado toda la casa y no falta nada.

EMILIO. Buenas noches.

PEPE. Hasta luego.

Salen Emilio, Mario y Pepe.

ROSARIO. (*Que se ha acercado a la mesa de mal humor y ha cogido el periódico casi sin saber lo que hace.*) ¡ Todos echando chispas por esta . . . pelindrusca ! (*Tira el periódico con rabia.*) ¡ Uf, qué asco de hombres ! ¡ Los aborrezco a todos !

MARÍA PEPA. (*Volviendo a entrar.*) ¡ Haces bien !

DOÑA BARBARITA. (*Severamente.*) ¡ Hace mal !

ROSARIO. (*Con aire de chiquilla que se complace en su propia rabieta.*) ¿ Por qué hago mal ?

DOÑA BARBARITA. (*Con toda calma.*) Hijita porque lo inevitable no se adelanta nada con aborrecerlo.

ROSARIO. (*Más chiquilla mimada que nunca.*) ¡ Aaaah ! ¿ De modo que es (*Subrayando la palabra.*) inevitable que un hombre le tiene que amargar a una la vida ?

Se sienta junto a la mesa, y cogiendo una almohadilla de encaje, que habrá sobre una silla, empieza a trabajar con rabia.

DOÑA BARBARITA. (*Sonriendo.*) Amargar es una expresión demasiado fuerte . . .

MARÍA PEPA. (*Confidencialmente a Rosario.*) Sí, con « jeringar » basta.

DOÑA BARBARITA. (*Enfadada.*) ¡ Cállate ! ¡ Ya

sabes que no puedo sufrir con paciencia que las mujeres hablen mal de los hombres! ¡Siempre me ha parecido una vulgaridad de muy mal gusto!

MARÍA PEPA. ¡Sí, que ellos tienen pelos en la lengua para hablar perrerías de nosotras!

DOÑA BARBARITA. (*Muy digna.*) ¡Pues hacen rematadamente mal! Hombres y mujeres hemos venido al mundo para llevar a medias la carga de la vida...

MARÍA PEPA. ¡Sí; pero ellos escurren el hombro siempre que pueden!

ROSARIO. (*Tira con violencia sobre la mesa la almohadilla de encajes; los bolillos ruedan, enmarañándose.*) ¡No puedo, no puedo! (*Se levanta.*) No sé; los bolillos se enredan, los hilos se me rompen, se me tuercen todos los alfileres... ¡Qué labor tan idiota es el encaje!

DOÑA BARBARITA. ¡Niña, niña, niña! ¡Ésos son nerviosismos de chiquilla mimada!

ROSARIO. (*Muy dolida porque su abuela la habla con severidad.*) Mimada ¿por quién?

DOÑA BARBARITA. Por todo el mundo.

ROSARIO. (*Entre dientes.*) ¡Ojalá!

DOÑA BARBARITA. Por mí, por tus hermanos, por la vida. En veintidós años no has sufrido una pena ni un disgusto, y por eso te crees con derecho a ponerte tonta en cuanto tienes una contrariedad.

ROSARIO. Yo no tengo contrariedad ninguna.

DOÑA BARBARITA. Entonces, hijita, peor que peor.

ROSARIO. (*Sentándose en el diván y sujetándose la cabeza con las dos manos.*) Es que tengo jaqueca.

DOÑA BARBARITA. (*Sonriendo.*) Esa disculpa guárdala para tu maridito, cuando estés casada, pero a otra mujer no se la des nunca. No tienes jaqueca. (*Con seriedad.*) Tienes mal humor, que es muy diferente. (*Rosario levanta la cabeza y mira a su abuela con un poco de alarma.*) ¡ Tú sabrás por qué ! (*Rosario hace un gesto.*) ¡ Yo no te lo pregunto ! (*Con severidad.*) Pero sí te digo que cuando una niña no sabe dominarse, se encierra en su cuarto, y no hace padecer, a quien no tiene la culpa, los efectos de su mal humor !

MARÍA PEPA. (*Dolidísima e indignadísima como si el regaño fuese con ella.*) ¡ Eso es ! ¡ Ríñela si te parece !

DOÑA BARBARITA. No la riño, le digo la verdad por su bien. Quiero que aprenda a dominar los nervios, que buena falta le hace.

MARÍA PEPA. ¡ Habla de nervios tú, que te has pasado la mitad de la vida dándote perlequeques !

DOÑA BARBARITA. (*Muy digna.*) ¡ Nunca me ha dado uno inoportunamente ! De sobra lo sabes.

MARÍA PEPA. (*Que no quiere dar su brazo a torcer.*) ¡ Pobre hija de mi alma !

DOÑA BARBARITA. ¡ No me pongas frenética con tus compasiones ! ¡ La niña no necesita que la compadezcan !

ROSARIO. (*Mira a las dos viejas, un poco confusa, y por fin se acerca a su abuela, y le besa la mano.*) Perdóname, abuela . . . tienes razón . . . soy una niña tonta sin sentido común . . . y además injusta . . . y además antipática . . .

MARÍA PEPA. (*Ofendida.*) ¡ Ahora, si te parece, ponte contra ti misma !

Rosario, sin responder, sonríe con cariño a María Pepa, y se sienta en el suelo, junto al diván, delante de doña Barbarita. Doña Barbarita le pasa la mano por la cabeza en caricia suave.

DOÑA BARBARITA. Más valdrá que te vayas a la cama. ¿ No decías que estabas cansada ?

ROSARIO. Pero no tengo sueño. (*Mira a la ventana.*)

DOÑA BARBARITA. (*Cazando en el aire la mirada.*) ¡ Ni yo tampoco ! Velaremos juntas. (*A María Pepa.*) Tú, si quieres, te puedes acostar, que la niña me ayudará luego a desnudarme.

MARÍA PEPA. (*Susceptible.*) ¡ No sé por qué regla de tres voy a tener yo más sueño que vosotras ! (*Levantándose con dignidad.*) Ahora, si es que estorbo . . .

DOÑA BARBARITA. (*Enfadada.*) ¡ Siéntate y no digas despropósitos !

María Pepa vuelve a sentarse. Hay una brevísima pausa. María Pepa bosteza ruidosamente. Rosario suspira.

ROSARIO. ¡ Ay !

DOÑA BARBARITA. (*A Rosario.*) ¿ Por qué no lees un poco en voz alta, y así nos distraeremos ? Esa novela que empezaste a leernos la otra noche.

MARÍA PEPA. (*Con profundo desprecio.*) ¿ Cuál ? ¿ La del pintamonas que le toma el pelo a la infeliz de las naranjas, y ella, de tonta que es, se tira al río ? (*A Rosario.*) ¡ No te gastes los ojos leyendo paparruchas !

DOÑA BARBARITA. ¡ Calla, hereje !

ROSARIO. (*A María Pepa, con aire de desencanto profundo.*) Tienes razón . . . No leo. ¡ Todas las novelas son mentira ! ¡ Tanto sentimiento, tanta poesía, para que luego el mismo que las escribe se burle cruelmente de lo que más exalta en sus obras !

DOÑA BARBARITA. ¡ Niña, tú qué sabes !

ROSARIO. (*Con amargura sentimental.*) ¡ Me lo figuro !

MARÍA PEPA. (*Levantándose.*) Pues si no lees, apagaré, que para la labor que estamos haciendo no hace falta luz, y el contador corre que es un gusto. (*Apaga la luz eléctrica. Entra por la ventana la intensísima luz de la luna.*) Además, que la luna entra por la ventana. (*Vuelve a sentarse.*)

ROSARIO. ¡ Qué noche de calor ! Verdaderamente, ¿ quién se va a la cama con este bochorno ?

Quedan las tres inmóviles y en silencio. Doña Barbarita en el diván, Rosario en el suelo, a sus pies; María Pepa un poco más lejos, sentada en una silla baja, con las manos juntas sobre la falda. La luna ilumina misteriosa y románticamente la habitación.

DOÑA BARBARITA. Podíamos ir rezando el rosario.

Saca con calma el rosario de la faltriquera y se santigua. En este momento, sin viento ninguno, en perfecta calma, entra violentamente por la ventana un sombrero de paja, que viene a caer en medio del grupo que forman las mujeres.

ROSARIO. (*Se levanta dando un grito ahogada.*) ¡ Ah ! ¿ Qué es esto ?

MARÍA PEPA. (*Levantándose y cogiendo el sombrero.*) ¡ Un sombrero de paja !

ROSARIO. (*Con aire de maliciosa satisfacción al ver que el Aparecido no ha abandonado la aventura.*) ¡ Ah, vamos !

DOÑA BARBARITA. (*Aparte, con aire de desafío.*) ¡ Le estaba esperando !

MARÍA PEPA. ¡ Pues lo que es esta noche no hace viento !

ROSARIO. (*Muy apurada, temiendo que se descubra su secreto.*) ¡ Más valdría cerrar la ventana ! (*Se precipita a hacer lo que dice.*)

DOÑA BARBARITA. (*Deteniéndola.*) ¡ De ningún modo ! ¡ Que entre quien sea ! ¡ Así sabremos la verdad !

MARÍA PEPA. (*Indignada.*) ¡ Qué va a entrar ! ¡ Para que nos percuellen a las tres, ahora que estamos solas !

ROSARIO. (*Hablando al mismo tiempo que María Pepa.*) ¡ No ! ¡ No ! ¡ No ! (*Se oye fuera el ruido leve de alguien que trepa.*)

DOÑA BARBARITA. ¡ Suben !

MARÍA PEPA. (*Con susto.*) ¡ Ah ! ¡ Socorro ! ¡ Sereno !

DOÑA BARBARITA. (*Con violencia.*) ¡ Calla !

ROSARIO. (*Al mismo tiempo que doña Barbarita.*) ¡ Cierra !

DOÑA BARBARITA. ¡ No !

MARÍA PEPA. (*Que ya en su terror cree ver al ladrón en la ventana.*) ¡ Ladrones ! ¡ Guardias ! ¡ A ése !

Buscando con que defenderse mientras pronuncia las últimas palabras, coge el « perro de lanas » que está sobre la mesa y le arroja con violencia por la ventana. Se oye fuera una maldición pronunciada con voz ahogada.

DOÑA BARBARITA. (*Indignada.*) ¿ Qué has hecho ?

MARÍA PEPA. (*Fiera.*) ¿ Qué iba a hacer ? ¡ Tirarle el perro !

ROSARIO. (*Sin saber lo que dice.*) Pero, ¿ a quién ?

MARÍA PEPA. Yo ¿ qué sé . . . ? ¡ Al que subía !

ROSARIO. (*Asustadísima.*) ¡ Ay, Dios mío, Dios mío, Dios mío ! (*Se desploma en el sofá, casi desvanecida.*)

MARÍA PEPA Y DOÑA BARBARITA. (*Acudiendo a ella.*) Niña, ¿ qué te pasa ?

ROSARIO. (*Balbuceando.*) Nada . . . no sé . . . (*Cogiendo las manos de doña Barbarita.*) Abuela . . . tengo . . . tengo que . . . decirte . . . una cosa.

DOÑA BARBARITA. Sí, hija, sí . . . (*A María Pepa.*) Cierra esa ventana.

María Pepa va a cerrar la ventana refunfuñando, porque la orden se le antoja un ardid de doña Barbarita para alejarla y que no oiga lo que va a decir Rosario.

ROSARIO. (*Balbuceando.*) Anoche . . . yo . . .

Suena con fuerza el timbre de la puerta. Las tres mujeres dan un respingo.

MARÍA PEPA. ¡ Llaman !

ROSARIO. ¡ Llaman !

DOÑA BARBARITA. (*Con mal humor.*) ¡ Así parece !

MARÍA PEPA. (*Con susto.*) ¡ Serán los guardias !

DOÑA BARBARITA. ¿ Ves lo que has conseguido con chillar ?

Vuelve a sonar el timbre.

MARÍA PEPA. ¿ Abro ?

DOÑA BARBARITA. ¡ Naturalmente !

María Pepa sale sin decir nada. Doña Barbarita y Rosario esperan con un poco de impaciencia. Se oye confusamente en la antesala la voz de María Pepa que hace una exclamación de susto y la voz de un hombre que la tranquiliza.

MARÍA PEPA. (*Dentro.*) ¡ Ay, Dios mío !

EL APARECIDO. (*Dentro.*) No es nada . . . si no es
5 nada . . .

MARÍA PEPA. (*Dentro.*) ¡ Ay, Virgen Santísima !

DOÑA BARBARITA. (*Alterada.*) Pero, ¿ qué sucede ?

ROSARIO. María Pepa, ¿ has abierto ?

MARÍA PEPA. (*Dentro, con voz temblorosa.*) ¡ Sí . . .
10 sí . . . !

Aparece en la puerta, trastornada.

ROSARIO. (*Con angustia.*) ¿ Quién es ?

DOÑA BARBARITA. (*Al ver los gestos de ahogo de María Pepa, que no contesta.*) ¿ La policía ? (*María*
15 *Pepa contesta que no con la cabeza.*) ¿ El sereno ?

María Pepa mueve la cabeza negativamente.

ROSARIO. (*Con impaciencia.*) ¿ El ladrón ?

MARÍA PEPA. (*Rompiendo a hablar.*) ¡ Tampoco ! Es . . . es . . . ¡ un caballero !

20 DOÑA BARBARITA. (*Muy digna.*) Que pase.

MARÍA PEPA. Ya va . . . ya va . . . pero no os asustéis . . . el pobre viene . . . viene . . . viene . . . ¡ herido !

DOÑA BARBARITA Y ROSARIO. (*Se acercan impulsivamente a la puerta, muy alarmadas, y dicen a un tiempo*):
25 ¡ ¡ Herido ! !

Antes de que lleguen a la puerta se presenta en ella el Aparecido, amable y sonriente; trae en una mano el pañuelo con el cual se restaña la sangre de una descalabradura que tiene en la frente a la altura del pelo
30 *y en la otra el « perro de lanas » que ha tirado María Pepa por la ventana.*

El Aparecido. (*Amablemente.*) No, señoras, no tanto . . . no se alarmen ustedes . . . sencillamente descalabrado . . . por este pequeño bibelot (*Mostrando el « perro de lanas ».*) que ha salido volando por la ventana . . . precisamente cuando yo pasaba por la calle, y que tengo el honor de devolver a ustedes . . .

Doña Barbarita. ¡ El perro de lanas ! (*Mirando con reproche a María Pepa.*) ¡ ¡ María Pepa ! !

María Pepa. (*Apuradísima.*) ¡ No me digas nada, que bastante lo siento ! (*Con odio hacia el « perro de lanas ».*) ¡ El dichoso animal tenía que ser !

Rosario, que se había lanzado hacia la puerta, al mismo tiempo que su abuela, para socorrer al herido, al ver aparecer en la puerta a su novelista, retrocede, lanzando una exclamación, que tanto puede ser de asombro como de triunfo, y se retira a un lado sin tomar parte en la conversación ni parecer interesarse por la herida del Aparecido. El Aparecido, por su parte, no da la menor señal de conocerla.

El Aparecido. (*Humildemente.*) Pido a ustedes mil perdones por atreverme a molestarlas a esta hora, un poco incorrecta, pero . . .

Doña Barbarita. (*Muy apurada.*) Por Dios, caballero, nosotras somos las que tenemos que pedir a usted que nos disculpe . . . por haber sido causa de este accidente . . . (*Viendo que él retira de la descalabradura el pañuelo lleno de sangre.*) ¡ Ay, Dios mío ! Se está usted desangrando . . .

El Aparecido. (*Sonriendo.*) Realmente . . . si tuvieran ustedes un poco de tafetán . . . Ignoro dónde está la Casa de Socorro del distrito . . .

DOÑA BARBARITA. (*Apuradísima.*) ¿Cómo tafetán?... Le haremos a usted una cura completa... Siéntese usted... María Pepa, trae agua hervida... algodón... vendas... (*María Pepa sale rápidamente.*) Traiga usted eso que le estará estorbando. (*Le quita el perro y le obliga a sentarse en una silla.*) ¡Niña! ¿Qué haces ahí como una estatua? ¡Acércate!

Dice esto, mientras con los impertinentes examina la descalabradura del Aparecido, al cual ha obligado a sentarse en una silla.

EL APARECIDO. (*Con sorna.*) Se habrá asustado... Se ve que tiene un alma sensible.

ROSARIO. (*Le hace un gesto de enojo, pero se acerca.*)

DOÑA BARBARITA. (*Después de examinar la herida minuciosamente.*) ¡Ay, señor! Habrá que cortarle un poco el cabello... Voy por las tijeras... (*Sale rápidamente.*)

EL APARECIDO. (*Cogiendo la mano a Rosario en cuanto doña Barbarita desaparece.*) ¡Rosarito! ¿Está usted todavía enfadada conmigo?

ROSARIO. (*Furiosa.*) ¡Es usted un miserable!

EL APARECIDO. (*Sonriendo.*) ¡Eso me dice usted después de haberme roto la cabeza!

ROSARIO. (*Muy digna.*) No he sido yo. ¡Pero le está a usted muy bien empleado!

EL APARECIDO. (*En tono entre guasón y suplicante.*) ¡Rosarito!

Entra María Pepa con un primoroso aguamanil — jofaina y jarrito pequeños — de plata antigua, y un cestillo con vendas, gasas, algodones, etc., y lo deja todo sobre la mesa. Entra detrás de ella doña Bar-

barita con un primoroso estuche de tijeras, un cuenquecito de plata o de cristal y un frasquito de alcohol con tapón de plata o de oro. Todo cuidado y primorosísimo, como de viejecitas que ya no viven más que para los detalles y que han estado acostumbradas a infinitos refinamientos mujeriles y románticos.

DOÑA BARBARITA. Vamos a ver . . . María Pepa, el agua. (*María Pepa echa agua del jarrito en la jofaina, y se acerca.*) Niña, corta el cabello tú que ves mejor.

ROSARIO. (*Cogiendo las tijeras que le da su abuela, y tratando con poco miramiento la cabeza del Aparecido, le corta un gran mechón de pelo.*)

DOÑA BARBARITA. (*Escandalizada.*) Pero, niña, ¿ qué destrozo estás haciendo ?

EL APARECIDO. (*Con sorna.*) Es que está nerviosa.

ROSARIO. (*Muy seca.*) No estoy nerviosa . . . es que tiene usted un pelo . . .

EL APARECIDO. (*Riéndose.*) ¿ Tan endemoniado ? Es por simpatía.

DOÑA BARBARITA. (*Interviniendo.*) Ea, ya está, ya está, déjame a mí. (*Apartando a Rosario, lava la herida con cuidado y rapidez.*) Ahora un poco de alcohol. (*Empapa un algodón en alcohol, echándole del frasquito, y le pasa por la herida.*) ¿ Escuece ?

EL APARECIDO. (*Con un gesto elocuente.*) ¡ Bastante !

DOÑA BARBARITA. Es de lavanda . . . completamente puro . . . le preparo yo misma. (*Rosario mira sufrir al Aparecido con crueldad inaudita. Él, mientras las dos viejas están ocupadas curándole, hace gestos burlones, como pidiendo a Rosario que tenga compasión de él, cosa que a ella le indigna cada vez más.*) Niña, corta un pedazo de tafetán. (*Prepara un poco de agua en el cuenquecito, y cuando Rosario le da el tafetán, lo humedece cuidadosamente y lo aplica sobre la herida.*) Ya está . . . no es nada . . . una señal pequeña.

MARÍA PEPA. (*Con profunda simpatía.*) Que le hará a usted muchísima gracia, porque está en un sitio muy aparente.

DOÑA BARBARITA. (*Lavándose las manos y secándoselas con una toalla.*) Ahora, si quiere usted un espejo y un peiné . . .

EL APARECIDO. (*Levantándose.*) Por Dios, señoras . . . ; de ninguna manera. (*Se arregla el pelo con las manos.*) ¡ Cuánta molestia ! Son ustedes la flor de la amabilidad . . . nunca olvidaré lo que han hecho ustedes por mí esta noche . . . y si me permiten volver a otra hora más correcta a ofrecerles oficialmente mis respetos . . .

DOÑA BARBARITA. ¡ No faltaría más ! Cuando usted guste. Está usted ahora y siempre en su casa . . . Bárbara de Tauste, viuda de Castellanos . . .

EL APARECIDO. (*Inclinándose.*) Luis Felipe de Córdoba . . .

DOÑA BARBARITA. (*Con gran sorpresa.*) ¿ Luis Felipe de Córdoba . . . ? ¿ El novelista ?

EL APARECIDO. (*Volviendo a inclinarse.*) Humilde y agradecido servidor de ustedes . . .

DOÑA BARBARITA. (*Mirando a Rosario.*) El ilustre autor de *Ilusión de Mayo.*

María Pepa, que está recogiendo las cosas al oír esto, le mira como si viera un animal antediluviano.

EL APARECIDO. Precisamente ilustre . . .

MARÍA PEPA. (*A Rosario.*) ¡ Niña . . . el del pintamonas ! ¿ No dices que tenías tantísima gana de conocerle ? Pues ahí le tienes. ¡ Y bien guapo que es !

Rosario no sabe dónde meterse de confusión que le causa la observación de María Pepa.

EL APARECIDO. (*Inclinándose.*) Señora . . .

DOÑA BARBARITA. (*Con reproche.*) ¡ María Pepa !

MARÍA PEPA. (*Imperturbable.*) ¡ Señor, si lo es ! Guapo y simpático y buen mozo. ¿ Por qué no lo va una a decir ? ¿ Es algún delito ?

DOÑA BARBARITA. (*Un poco impaciente.*) Llévate todo eso. (*María Pepa sale con el aguamanil y el cestillo mirando amablemente al Aparecido. Éste, de pronto, se lleva la mano a la frente y se apoya en la mesa. Asustada.*) ¿ Qué le sucede a usted ?

EL APARECIDO. Nada . . . ya pasó . . . un vértigo ridículo . . . un mareo . . .

DOÑA BARBARITA. ¡ Claro . . . el golpazo . . . la pérdida de sangre . . . ! Siéntese usted . . .

EL APARECIDO. Por Dios, señora . . .

DOÑA BARBARITA. Voy a buscar el agua de melisa . . .

ROSARIO. Iré yo . . .

DOÑA BARBARITA. No por cierto; está en mi secreter, y no me gusta que me le revuelvan. (*Sale.*)

EL APARECIDO. (*Cogiendo la mano a Rosario.*) Déjeme usted que bese la mano que me ha herido . . .

ROSARIO. (*En voz baja, rápida y secamente.*) ¡ Ya le he dicho a usted antes que no he sido yo !

EL APARECIDO. (*Con guasa patética.*) ¡ No me quite usted esa ilusión !

ROSARIO. (*Implacable.*) El perro le tiró María Pepa.

DOÑA BARBARITA. (*Entrando con un plato en el que hay un frasquito, una copita con un poco de agua, una cucharilla y un terrón de azúcar.*) ¡ El agua de melisa ! (*La prepara y se la ofrece.*)

EL APARECIDO. (*Bebiéndola.*) ¡ Mil gracias, señora ! (*Amablemente.*) ¡ Es exquisita !

ROSARIO. (*Con sorna.*) ¿ Le gusta a usted más que el agua de azahar ?

DOÑA BARBARITA. (*Asombrada ante la pregunta, que le parece demasiado tonta.*) ¡ Niña ! ¿ por qué preguntas eso ?

EL APARECIDO. ¡ Muchísimo más ! (*Sonriendo.*) De hoy en adelante pienso tenerla siempre en mi despacho, para uso de visitantes nerviosas.

DOÑA BARBARITA. (*Con graciosa malicia.*) ¡ Ah ! ¿ Recibe usted muchas visitas de señoras ?

EL APARECIDO. (*Modestamente.*) Algunas . . . sí . . . con bastante frecuencia . . .

ROSARIO. (*Agresiva.*) ¡ De cupletistas !

DOÑA BARBARITA. (*Escandalizada.*) Niña, ¿ qué dices ?

EL APARECIDO. (*Sonriendo.*) Sí, de cupletistas también . . . algunas veces . . .

DOÑA BARBARITA. (*Solícita.*) ¿ Qué ? ¿ Pasó ya el mareo ?

EL APARECIDO. (*Muy amable.*) Sí, señora . . . y, por lo tanto, no quiero molestar más a ustedes.

DOÑA BARBARITA. (*Sonriendo.*) Es muy justo . . . pero ahora somos nosotras las que queremos molestar a usted . . .

EL APARECIDO. ¿ Cómo ?

DOÑA BARBARITA. Rogándole que tome con nosotras una pequeña colación. ¡ María Pepa !

MARÍA PEPA. (*Apareciendo con rapidez que deja sospechar que no andaba muy lejos.*) ¿ Te o chocolate ?

EL APARECIDE. (*Galante.*) Por Dios, señora . . . de ninguna manera . . . sería demasiado trastorno . . .

DOÑA BARBARITA. (*Muy gran señora.*) ¿ Para usted ?

EL APARECIDO. (*Confuso e inclinándose.*) ¡ Señora . . . !

DOÑA BARBARITA. Yo, de todas maneras, tengo que tomar algo; he velado más de lo que acostumbro y estoy desfallecida.

Se sienta. María Pepa habla con ella en secreto.

ROSARIO. (*Acercándose al Aparecido, que está en pie junto a la mesa y hablándole en voz baja y con rabieta.*) ¡ Le han cogido a usted ! . . . (*Viendo que él mira hacia la chimenea.*) No mire usted la hora . . . es tarde . . . ya no llega usted a ver bailar a la Estrellita . . . pero puede usted recrearse contemplando su imagen . . . (*Le da el periódico.*) ¡ Ahí está !

EL APARECIDO. (*Mirando el periódico con toda calma y volviendo a dejarle sobre la mesa.*) ¡ Muy parecida !

María Pepa, terminada su conferencia, sale.

DOÑA BARBARITA. ¿ No se sientan ustedes ?

El Aparecido y Rosario se sientan cada uno a un lado de la anciana, en visita correctísima, Rosario en una silla, el Aparecido en un sillón. El Aparecido mira a Rosario, sonriendo. Rosario mira al Aparecido con mal humor. Se comprende que si estuvieran solos tendrían una gresca, de la cual tal vez saldría la paz; pero la presencia de la abuela impide toda aclaración.

Doña Barbarita los mira alternativamente. Hay una pausa que rompe el Aparecido.

EL APARECIDO. (*Por decir algo.*) Tienen ustedes una casa muy simpática.

DOÑA BARBARITA. Modesta, pero cómoda; éste es el despacho de mi nieto, que también escribe . . . (*El Aparecido lanza un ¡ Ah ! galante, aunque la cosa le trae perfectamente sin cuidado.*) Todos somos aquí muy aficionados a la literatura y especialísimos admiradores de usted. (*El Aparecido se inclina.*) Así es que, lamentando muchísimo el haberle a usted roto la cabeza, nos alegramos infinito de la ocasión que nos proporciona el placer de conocerle . . .

EL APARECIDO. Señora, todo el placer es para mí.

DOÑA BARBARITA. (*Sonriendo.*) Pero usted le ha pagado un poco caro.

EL APARECIDO. ¡ Bah ! La herida no es de muerte . . . y aunque lo fuera, « Que haya un cadáver más, ¿ qué importa al mundo ? »

DOÑA BARBARITA. ¡ Ay ! Cita usted a un poeta de mi niñez . . . Personalmente no le conocí, pero tengo versos suyos en mi álbum . . . copiados por mí, naturalmente, imitando la letra de un autógrafo que vino en un periódico . . . a su muerte. He sido siempre un poco fantaseadora, y cuando no he podido lograr una cosa en la realidad, me he consolado fingiéndome a mí misma que la lograba . . . En mis tiempos el álbum con versos y dibujos de hombres célebres era una manía.

EL APARECIDO. (*Suspirando.*) ¡ Ay ! que ha resucitado . . .

DOÑA BARBARITA. A ustedes los poetas les molestará mucho...

EL APARECIDO. ¡Lo que usted no puede figurarse!

DOÑA BARBARITA. Por lo cual no me atrevo a pedir a usted...

EL APARECIDO. ¡Por Dios, señora! ¡Con muchísimo gusto! ¡No faltaría más!

DOÑA BARBARITA. (*Muy contenta.*) Niña, saca el álbum... (*Rosario se levanta.*) Verá usted que la última poesía es del sesenta y cinco, cuando a mí, aunque casada en terceras nupcias, aun se me podía llamar joven y rubia sin demasiada licencia poética... (*Rosario, que ha abierto un armarito y ha sacado de él un álbum primoroso, le pone encima de la mesa.*) Escriba usted algo muy romántico... Aunque soy vieja no he perdido el buen gusto. Niña, dale al señor todo lo necesario.

El Aparecido se levanta y se sienta a la mesa de escribir. Rosario está en pie junto a la mesa, y le da pluma y secante sin hablar.

EL APARECIDO. (*Fingiendo que escribe. A Rosario.*) Ese ceño de enojo le sienta a usted muy mal.

ROSARIO. ¡Me alegro tanto!

EL APARECIDO. Sonría usted un poco...

ROSARIO. ¡No tengo gana de sonreír!...

EL APARECIDO. (*A doña Barbarita en voz alta.*) ¿Prosa o verso?

DOÑA BARBARITA. (*Que en cuanto ha dejado de hablar, rendida sin duda por el cansancio, ha empezado a dar cabezadas, y que se asusta un poco al oír la voz.*) ¡Eh! (*Repitiendo las palabras y al parecer compren-*

diéndolas al oírselas a sí misma.) ¿ Prosa o verso ? Prosa . . . prosa poética . . . *(Vuelve a dar cabezadas.)*

EL APARECIDO. *(A Rosario.)* Si yo fuera usted, ¿ sabe usted lo que haría ?

5 ROSARIO. ¡ Alguna estupidez !

EL APARECIDO. *(Sin ofenderse.)* Contestar sí o no a la pregunta que dejamos pendiente esta mañana: ¿ Quiere usted ser mi . . . ?

ROSARIO. *(Interrumpiéndole furiosa, pero sin levantar* 10 *la voz.)* ¡ No quiero ser nada de usted ! ¡ Ay, mi abuela !

EL APARECIDO. *(Con sentimentalismo guasón.)* Se ha dormido. ¡ Ay, yo que había llegado a hacerme la ilusión de que lo fuera usted casi todo !

15 ROSARIO. *(Escandalizadísima, y olvidándose de su abuela, que, afortunadamente, se ha dormido del todo.)* ¿ Cómo casi ?

EL APARECIDO. *(Con toda calma.)* ¿ Le parece a usted poco ? . . . Un ser humano, por muy grande que 20 sea su perfección, nunca acierta a llenar por completo las aspiraciones de otro . . .

ROSARIO. ¡ Usted, por lo visto, necesita mucho !

EL APARECIDO. *(Levantándose y acercándose un poco a ella.)* No sé si mucho o poco: la necesito a usted.

25 ROSARIO. *(Con guasa, tomando ventaja de la declaración.)* ¿ Para secretaria ?

EL APARECIDO. *(Acercándose más.)* Para lo que usted quiera . . .

ROSARIO. *(Haciéndose la ofendida.)* ¡ Señor mío !

30 *Llevándose de pronto las manos a la cabeza y mirando con terror al sofá.*

EL APARECIDO. (*Con «calinerie».*) Vamos . . . decida usted . . .

ROSARIO. (*Mirándole de reojo.*) ¿ Qué sueldo da usted ?

EL APARECIDO. ¿ A mi secretaria ? Cuatrocientas pesetas.

ROSARIO. ¡ Es muy poco !

EL APARECIDO. (*Muy serio.*) No son más que seis horas de trabajo . . . agradable.

ROSARIO. (*Con guasa.*) Se han puesto muy caras las subsistencias.

EL APARECIDO. ¡ Cásese usted conmigo y la mantengo a usted sin reparar en gastos !

ROSARIO. (*Muy digna.*) ¡ Y la mantengo a usted ! ¡ No quiero que me mantenga nadie !

EL APARECIDO. (*Con calma.*) O le aumento a usted el sueldo. No hay por qué ofenderse. Cuatrocientas como secretaria y trescientas cincuenta como esposa . . . Puede usted poner su pucherito aparte; supongo que algún día tendrá usted la bondad de invitarme a comer; yo, por mi parte, la convidaré a usted jueves y domingos.

ROSARIO. (*Echándose a reír.*) ¡ Es usted imposible !

EL APARECIDO. ¡ Gracias a Dios que la oigo a usted reír ! ¿ Hace o no hace ?

ROSARIO. (*Suspirando y haciéndose un poco la interesante y la mujer superior.*) ¡ Ah ! ¿ Qué garantía me ofrece usted . . . ?

EL APARECIDO. (*Muy ofendido, interrumpiéndola.*) ¿ De pagarla a usted puntualmente ?

ROSARIO. (*Romántica.*) De que podamos ser felices juntos . . .

El Aparecido. (*Sincera y enérgicamente.*) ¡ Ninguna !

Rosario. (*Volviendo a escandalizarse.*) ¿ Cómo ?

El Aparecido. ¿ Qué garantía me ofrece usted a mí ? La felicidad se desea, se busca, se procura, se logra o no se logra, pero no se puede garantizar. Claro es que en las cartas y coloquios de amor, los novios de ambos sexos acostumbran a prometerse el paraíso, pero eso es una fórmula que, aproximadamente, tiene el mismo valor de realidad que el « beso a usted la mano ».

Rosario. (*Protestando sentimentalmente.*) ¡ Una fórmula !

El Aparecido. Copiada de dramas y novelas . . .

Rosario. (*Con rencor.*) ¡ De las de usted !

El Aparecido. (*Con calma.*) De todas . . . Pero la vida no es una novela.

Rosario. (*Con afectación de decepción romántica.*) ¡ Ay, no !

El Aparecido. (*Serenamente, pero con elocuencia sencilla.*) Lo cual no quita para que sea un libro maravilloso, una historia admirable, palpitante, llena de emoción, de luz y de misterio, una aventura digna de vivirse . . . ¡ y sobre todo a medias ! No, Rosarito, lealmente no puedo prometerle a usted, como usted no puede prometerme a mí, que mi amor será un cielo. Será la vida . . . nada más que la vida . . . ¡ nada menos ! Soy un ser humano con muchos defectos, pero con muchísima buena voluntad. Usted también los tiene . . .

Rosario. (*Un poco enfurruñada, bajando la cabeza.*) ¡ Ya lo sé !

El Aparecido. (*Con cariño.*) Sería usted un monstruo si no los tuviera ... Si quiere usted que echemos a andar juntos, daremos infinitos tropezones, caeremos uno y otro innumerables veces, pero las caídas no serán nunca demasiado graves, porque el que quede en pie siempre estará dispuesto a levantar al otro, y no va a dar la pícara casualidad de que caigamos los dos al mismo tiempo ...

Rosario. (*Muy bajo.*) No ...

El Aparecido. (*Con apasionamiento sereno.*) Pasaremos penas, como todo el mundo, pero nos reiremos de ellas siempre que podamos; trabajaremos mucho, pero esperando siempre, única manera de ser siempre jóvenes; no nos daremos nunca la menor importancia, con lo cual todos los triunfos que nos de la vida nos parecerán siempre un poco inmerecidos y nos pondrán alegres como a chiquillos con zapatos nuevos ...

Rosario. (*Interrumpiendo con aire de chiquilla enfadada, porque tiene muchas ganas de dejarse vencer, y no sabe cómo.*) Todo eso está muy bien ..., es decir, estaría muy bien, si usted me quisiera ... pero como usted no me quiere ...

El Aparecido. (*Llevándose las manos a la cabeza.*) ¡¡¡ En qué lo ha conocido usted !!!

Rosario. Cuando se quiere de verdad a una persona no se burla uno de ella ... y usted (*Casi llorando.*) se ha burlado de mí cruelmente ... ¡ El sombrero de paja, la carta, usted con el perro de lanas ... !

El Aparecido. ¡¡ Y la cabeza rota !!

Rosario. (*Muy chiquilla.*) ¡ Eso es lo único con que no había usted contado al urdir la farsa !

El Aparecido. (*Sonriendo beatíficamente.*) ¡ Y ya ve usted con qué resignación lo sufro ! En serio, Rosarito, yo no quería dormirme esta noche sin haberme reconciliado con usted. ¿ Preferiría usted que le hubiese
5 enviado una carta por el interior, con el inevitable « Señorita: desde que tuve el gusto de conocerla . . . »? (*Con aire de horrible desencanto, naturalmente fingido.*) ¡ Creí que tenía usted un poco más de imaginación !

Rosario. (*Vivamente, cayendo en el lazo.*) ¡ ¡ ¡ Y la
10 tengo ! ! !

El Aparecido. ¿ Entonces . . . ? ¡ Parece mentira que, siendo yo muchísimo más viejo que usted, tenga que descubrirle que el mayor encanto de las cosas serias está en tomarlas un poquito a broma ! (*Ella no dice*
15 *nada. Él se acerca a ella.*) ¿ Qué ? ¿ Se decide usted a dejarse querer para toda la vida, por un hombre leal, que prefiere dejarse romper la cabeza a exhalar un ¡ ¡ te amo ! ! entre dos suspiros ?

Rosario, con unos deseos terribles de decir que sí, baja
20 *la cabeza sin acertar con la fórmula propia, y da señales de espantoso apuro.*

Doña Barbarita. (*Un poco impaciente.*) ¡ Niña, di ya que sí o que no de una vez !

Rosario y el Aparecido se separan de un salto y miran
25 *con estupefacción y confusión a doña Barbarita.*

El Aparecido. ¡ Ah !

Rosario. ¡ ¡ Eh ! !

Doña Barbarita. (*Con aire de reproche.*) ¡ Bien está el melindre, pero hasta cierto punto !

30 Rosario. (*Balbuceando.*) ¿ Pero . . . no estabas . . . dormida ?

DOÑA BARBARITA. ¡ Hija ! En noventa años, ¿ querías que aún no hubiese aprendido a dormirme y a despertarme a tiempo ?

ROSARIO. (*Corre hacia su abuela, y arrodillándose ante ella, esconde la cabeza en su falda.*) ¡ Abuela ! (*Doña Barbarita se inclina para acariciarla.*) ¡ Díselo tú !

DOÑA BARBARITA. (*Sonriendo y con emoción, al Aparecido.*) Éstas son las mujeres que piden un llavín. No tiene madre . . . la he criado mal . . . y como soy tan vieja, no he sabido enseñarle la vida . . . Por eso ahora no sabe decir que sí . . .

Alarga la mano al Aparecido, que se la besa respetuosamente.

MARÍA PEPA. (*Que ha entrado como un torbellino.*) Pero si se marcha usted sin que se lo haya dicho, luego se encerrará a llorar y nos dará el rato. (*Echándose a llorar como un becerro y limpiándose con el delantal.*) ¡ Porque usted no sabe lo que la queremos, aunque nos esté mal el decirlo !

EL APARECIDO. (*Ofreciendo la mano a Rosario para ayudarla a levantarse.*) ¿ Rosarito ?

ROSARIO. (*Levantándose con rubor y un poquito de malicia.*) Bueno . . . pero Juanita no tiene que casarse con don Indalecio. ¡ ¡ De ninguna manera ! !

EL APARECIDO. (*Entrando en la broma, satisfechísimo.*) ¡ ¡ No faltaría más ! ! ¡ Se casará con su Marianito el mismísimo día de nuestra boda !

ROSARIO. (*Muy contenta.*) ¡ Y saldrá doctora en Farmacia !

EL APARECIDO. ¡ ¡ Con sobresaliente en el título ! !

ROSARIO. (*Alargando las dos manos al Aparecido.*) ¿ Jurado ?

El Aparecido. (*Cogiéndole las dos manos y sacudiéndoselas como en juego de chiquillos.*) ¡¡¡ Jurado !!! (*Los dos se ríen.*)

Las dos viejas les miran con embeleso y un poco de
5 *incomprensión, y María Pepa exclama: « ¡¡ Ay, qué parejita !! », mientras cae el telón rápidamente.*

FIN

NOTES

NOTES

In general idiomatic or unusual expressions will be found in the vocabulary.

3. — 10. **de un piso bajo,** *a ground-floor* (*window*).

13. **a la persona.** Object of **sirva.**

4. — 16. **que,** *for.*

18. **que** etc. Emilio merely repeats sarcastically Rosario's words.

5. — 24. **han.** Indefinite third person plural.

6. — 2. **en dólares.** A millionaire reckoned in dollars would be five or six times as wealthy as one reckoned in *pesetas* (see vocab.)

8. **amor con hache.** The Spanish **h** being silent is sometimes written by persons of imperfect education where it does not belong, particularly before words beginning with a vowel, e.g. "hamor."

10. **Más = Más ganas.** Translate, *she is more eager.*

12. **A mí.** The position is emphatic.

12. **se me van pasando.** The subject is **ganas.** Translate, *I am losing my eagerness.*

16. **Lo cobardes que sois,** *how cowardly you* (*men*) *are.*

19. **por mi cariño. Mi** is the objective genitive. Translate, *for love of me.*

19. **el que no me atrevo. Atrevo** agrees in person with the antecedent of **el que** which is **yo**; the verb might equally well have been in the third person, **se atreve.**

23. **asciendo.** Present for future.

26. **que.** After asseverative expressions like **por supuesto, ciertamente, sin duda,** etc. an untranslatable **que** is commonly introduced (See Ramsey, *A Text-Book of Modern Spanish,* § 1420).

28. **regalito.** It is customary for the **madrina** to make a

present to the god-child. Pepe speaks sarcastically, implying that Rosario will not be able to give much of a present.

30. **que lo que es si pudiera,** *but if I could* (*then you would see*).

7. — 4. **la.** Dative, (*for*) *her.*

5. **lo.** Neuter, because it refers vaguely to any gift Emilio might make and not to any of the specific things mentioned; or, possibly, lo = **duro,** line 4.

24. **que tengo pensadas,** *which I have in mind.* **Tener** (instead of **haber**) is used as auxiliary when the condition resulting from the action is thought of rather than the action itself.

8. — 13. **cuando . . . esperanza,** *when you three shall have realized your hopes.*

9. — 3. **poco.** Ironical.

10. **fea.** The uncomplimentary term is here used affectionately rather than otherwise.

24. **de aquí a Santander,** *between here and Santander.*

28. **El diablo . . . fraile.** Equivalent to the English proverb, " When the Devil was sick, the Devil a monk would be."

10. — 29. **¿ Dónde salta la liebre ? — En la cabeza de Mario Castellanos.** The proverb is " **Donde menos se piensa, salta la liebre,** *Where least expected the hare jumps up.*" Punning on the two meanings of **pensar** (*think* and *expect*) the question and answer can be translated, " Where is the least thinking done ? — In the head of Mario Castellanos." In other words Mario Castellanos is a very stupid person.

11. — 13. **que se supone está en la calle,** *who is supposed to be in the street.*

21. **Ya no se le ve,** *now he is out of sight.*

12. — 2. **las mujeres,** *we women.*

5. **como temiendo,** *as if afraid.*

28. **¿ Dónde vas a ir ?** In colloquial speech **dónde** is frequently used instead of **adónde** with a verb of motion.

13. — 1. lo, i.e. **decente.**

6. **tan poca,** i.e. **tan poca vergüenza.**

8. **se.** Ethical dative; do not translate.

13. **¡ Qué más quisieran ellos !** *Don't they wish they were!*

23. **¡ sentadas !** i.e. **sin movernos ni hacer nada.** There is

also in the phrase **esperar sentado** the implication that the waiting will be long.

14. — 1. **comprar.** Active infinitive with passive meaning.

9. **si dicen = si dicen algo.**

15. — 2. **Haciéndole la vida insoportable,** *by making his life unbearable.*

16. **suyos,** *on his part.*

16. — 5. **las mujeres,** *you women.*

7. **alfilerazo.** Literally *pin-scratch,* hence nagging or annoying one's husband until he does as one wishes.

14. **que.** Supply before **que** some verb like **advierto.**

17. — 27. **nos.** Ethical dative; do not translate.

29. **¿ Qué va a hacer la mujer . . . ?** *What would the woman be doing . . . ?*

18. — 1. **¡ Ni que fueran las tres de la madrugada !** *One would think it was three o'clock in the morning!*

4. **el acusarla.** The infinitive is the subject of **fuera;** in this construction it very often takes the definite article.

19. **No lo dirás por ti,** *you can't mean yourself.*

20. **que te estoy enseñando,** *that I have been teaching you.*

20. — 1. **que.** Adversative **que;** translate, *but.*

8. **que Dios tenga en gloria,** *may he be with God in Heaven:* a formula used in speaking of the dead.

21. — 7. **al que.** Although the preposition **a** logically governs the second element **que** of the compound relative **el que** it is placed before the first; translate *the one whom.*

11. **¡ Qué sé yo qué te diga !** *I don't know what to tell you!*

22. — 7. **no hemos tenido otro.** Supply **igual,** *like* (*him*)

21. **la otra,** i.e. her grandmother.

25. **los tuyos,** *your husbands.*

27. **las.** The indefinite feminine pronoun, supposed to refer to some such noun as **cosas.** Translate **cómo las vamos a componer,** *how we are going to arrange it.* See page 23, line 3.

23. — 3. **las.** See note to page 22, line 27.

24. — 12. **que.** See note to page 6, line 26.

23. **¡ Sí que parece . . . !,** *It does seem . . .* **Sí** is merely an emphatic expletive (see Ramsey, § 1408).

25. — 20. **Santa Bárbara bendita** etc. Saint Barbara is invoked in case of danger from lightning or tempest. Her pagan father is supposed to have been killed by a thunderbolt as divine punishment for having denounced her as a Christian to the Romans and thus causing her death.

26. — 27. **Por seguirla.** **Por** with the infinitive frequently expresses cause. Translate, *because he follows her* ...

27. — 10. **Es que tampoco puedo,** *I can't do that either.*

28. — 22. **¡ Huela a lo que huela ... !** *whatever it smells of.*

30. — 10. **parezca.** The subjunctive is governed by the impersonal **es natural** in line 6.

29. **me hubiese retirado,** *I should have gone away.* According to the usual grammars the imperfect subjunctive ending in **-ra** should be used in clauses of this type (see Ramsey, § 959). Examples like the present are, however, common enough, e.g. **Si hablase en alta voz, hubiese dicho "grupo de amigos."** (Pardo Bazán) **De quedarse allá ... todo le hubiese arrastrado a la revuelta.** (Blasco Ibáñez) **Seguro estoy de que usted no hubiese dicho esta boca es mía si mi mujer se hubiera llamado Da. Juana de Guzmán.** (Tamayo y Baus)

34. — 24. **Con lo mal que huelen = Aunque huelen muy mal** (see Ramsey, § 1439 e).

36. — 22. **sí me da,** *yes, it does too.*

37. — 24. **termino, presenta.** Present with future force.

39. — 7. **a la abuela.** The use of the article here belongs to familiar speech. Omit in translation.

42. — 14. **no se le ocurría,** *it would not occur to her.* The imperfect here as often has conditional force.

43. — 11. **cuartillas de taquigrafía, otras de máquina,** *stenographer's tablets, typewriting paper.*

44. — 22. **que es de las personas ...,** *who is (one) of those persons ...*

23. **hablando,** *by talking.*

46. — 6. **¿ Yo a usted ? = ¿ Yo llamarle a usted viejo ?**

28. **¿ A él ... tampoco ? = ¿ Tampoco se le ha ocurrido a él ?**

47. — 10. **conejo de Indias.** The allusion is to the well-known practice among biologists of using the guinea-pig for experiments (see line 6).

49. — 14. **se queda a mitad de camino y de sonrisa,** *stops half-way and ceases to smile.*

50. — 7. **Yo estoy** = **yo me quedo** or **quedaré.**

51. — 1. **Me hubiese gustado.** See note to page 30, line 29.

52. — 11. **Se,** *for him.*

22. **Por nada,** *for no reason.*

29. **Naturalmente que.** See note to page 6, line 26.

31. **¡ Qué ha de ser !** *Of course not!*

53. — 5. **que sí se quedará,** *for you will remain.* See note to page 24, line 23; render **sí** in English by stressing the word *will.*

18. **merecer el nombre.** Don Juan (Tenorio), a character created by Tirso de Molina, is the classic type of the libertine.

55. — 1. **el.** The definite article may be used with a noun clause; it is untranslatable. Here the clause **el que un pintor rico** etc. is the subject of **es mucho más artístico** etc. (page 54, line 31).

2. **el.** See preceding note. Here the article is strictly required to prevent the impossible combination **que que.**

13. **indignación gramatical,** i.e. indignation at his lapses in grammar and spelling. The word **cerúleas** is obviously misused.

59. — 9. **si es que se queda,** *if it turns out that you remain.*

61. — 7. **Siendo mujer,** *In spite of the fact that you are a woman.*

63. — 6. **puedan.** Governed by **no cree** (page 62, line 25).

31. **que vaya a enamorarme,** *that I would go and fall in love;* **vaya** is subjunctive in a result clause (see Ramsey, § 904).

65. — 1. **¡ Bien dicen que siempre es más lo que una se figura . . . !** *They are right in saying that what one imagines is always more (than that which happens).*

5. **Fíese.** Ironical.

68. — 13. **Usted, sí,** *you do.*

72. — 26. **acento andaluz.** The inhabitants of Andalusia (Southern Spain) have certain peculiarities of pronunciation which the author has indicated in the speech of Amalia by a more or less phonetic spelling. The words as they appear in the text will be found in the vocabulary with a reference to the word as correctly spelled.

73. — 7. **ni,** *or.* **Ni** is required by the negation implied in **antes.**

9. **grandísimo = grandísimo sinvergüenza.**

23. **Por muchos años,** *may she long remain so.* This is a common formula of congratulation.

29. **el tener.** See note to page 18, line 4.

30. **ni.** Negation is implied by the question (see line 7 and note). Translate, *even.*

74. — 24. **por la mañana.** Supply something like **tengo que trabajar** or **siempre estoy ocupado.**

75. — 14. **vuelvo = volveré,** *I shall come back.*

79. — 19. **llévalo. Lo** includes both the champagne and the flowers. Translate, *them.*

83. — 1. **daba = daría.** The imperfect indicative may appear in either or both clauses of the unreal condition.

7. **Ver,** i.e. **Lo que hago es ver** etc.

88. — 4. **ellos tienen pelos en la lengua.** Ironical.

89. — 7. **Pero sí te digo,** *But I do tell you.*

11. **como si el regaño fuese con ella,** *as if the scolding were directed against her.*

90. — 30. **No leo,** *I shall not read* (*any more*).

92. — 11. **¡ Qué va a entrar !** *Indeed he shall not come in.*

26. **con que.** See vocab. *s.v.* **que.**

98. — 19. **Está usted ahora y siempre en su casa,** *you are always welcome here.*

99. — 9. **¿ Por qué no lo va una a decir ?** *Why not say so?*

102. — 7. **le trae perfectamente sin cuidado.** See vocab. *s.v.* **cuidado.**

18. **que haya un cadáver más, ¿ qué importa al mundo ?** The lines are quoted from the *Canto a Teresa* of José de Espronceda, a romantic lyric poet (1808–1842).

104. — 1. **oírselas.** See vocab. *s.v.* **oír.**

13. **yo que había llegado** etc. See vocab. *s.v.* **llegar.**

106. — 10. **el mismo valor de realidad.** Formulas like **beso a usted la mano** have, of course, no real significance.

21. **no quita para que sea.** See vocab. *s.v.* **quitar.**

107. — 17. **a chiquillos,** i.e. **como ponen a chiquillos.**

VOCABULARY

A

a, to, at, in, into, for, of, by, about.
abajo, down, downstairs; *see* **arriba.**
abandonar, to abandon, give up.
abanico, *m.*, fan.
abierto, –a (*past part. of* **abrir**), open, outstretched.
aborrecer, to hate, loathe.
abrazar, to embrace; **—se a,** to embrace.
abrazo, *m.*, embrace.
abrir, to open, open the door; *see* **mucho.**
abrochar, to button, fasten.
absoluta, *f.* dismissal; **dar la —,** to dismiss.
absolutamente, absolutely.
absoluto, –a, absolute, complete.
absurdo, –a, absurd.
abuela, *f.*, grandmother.
abuelita, *f.*, (dear) grandmother.
abuelo, *m.*, grandfather.
abundancia, *f.*, abundance, quantity.
abundante, abundant, thick.
aburrido, –a, bored.
acá, here.
acabar, to finish; **—de** + *infin.*, to have just . . .; **se acabó el trabajo,** my work is finished.
acariciar, to caress.
acaso, perhaps.
accidente, *m.*, accident.
acento, *m.*, accent, tone.
acercarse (a), to approach, come near; **— mucho,** to come very close.
acertar, to succeed, be able; **— con,** to hit upon
acertijo, *m.*, riddle.
aclaración, *f.*, explanation.
acompañar, to accompany, go with, escort.
acongojado, –a, agonized, in desperate straits.
acordarse (de), to remember; **no me quiero acordar de,** I don't like to think (of).
acostarse, to go to bed.
acostumbrado, –a, accustomed; **nos tenía muy mal —as,** had spoiled us terribly.
acostumbrar, to be accustomed.
acto, *m.*, act.
actor, *m.*, actor.
acudir, to come (*or* go) up, approach, come, run to.
acurrucado, –a, curled up.
acurrucarse, to curl up.
acusar, to accuse.
adelantar, to advance; **—se,** to gain, profit.
adelante, forward; **de hoy en —,** henceforward, after this.

ademán, *m.*, bearing, manner.
además (de), moreover, besides.
adiós, good-bye.
adivinar, to divine, guess.
adjetivo, *m.*, adjective.
admirable, excellent, admirable.
admirablemente, excellent(ly); **está —,** it is excellent.
admiración, *f.*, admiration, wonder.
admirado, –a, admired (person).
admirador, *m.*, admirer.
admirar, to admire, wonder (at).
admirativo, –a, admiring.
admitir, to admit, grant.
adorar, to adore.
adormilado, –a, asleep.
aéreo, –a, aerial, through the air.
afectación, *f.*, affectation, pretense.
afectado, –a, affected, feigned.
afecto, *m.*, affection; **con —,** affectionately.
afectuoso, –a, affectionate.
afición, *f.*, inclination; *pl.*, tastes.
aficionado, –a (a), fond (of).
afirmación, *f.*, affirmation.
afirmar, to affirm, state, assent.
aflicción, *f.*, distress.
afortunadamente, fortunately.
afortunado, –a, fortunate, lucky (fellow).
agosto, *m.*, August.
agradable, agreeable, pleasant.
agradar, to please; **no me agradaba,** I did not like.
agradecer, to thank, be grateful for; **— más,** to like better.
agradecido, –a, grateful(ly).
agradecimiento, *m.*, gratitude.
agresivo, –a, aggressive(ly), loud, striking.
agua, *f.*, water; **son pocas las —s malas,** the difficulties are nearly at an end.
aguamanil, *m.*, small washstand.
aguantar, to endure, tolerate.
aguardar, to wait (for).
¡ Ah ! Ah !
ahí, there; **¡ — es nada !** a mere bagatelle ! (*ironical*).
ahogado, –a, choked, smothered.
ahogarse, to suffocate.
ahogo, *m.*, anguish.
ahora, now; **— mismo,** right away; **de —,** of today; **¿ y — ?** And now what (do you say) ?
aire, *m.*, air, manner; **tomar esos —s dignos,** to put on that dignified air; **darse —s de indiferencia,** to pretend to be indifferent; *see* **dar.**
ajeno, –a, someone's else, another's, from outside.
al (a + el), to the, at the, for the; **— +** *infin.*, on, upon.
alargar, to hand, hold out to, stretch out.
alarma, *f.*, alarm.
alarmadísimo, –a, very much alarmed.
alarmado, –a, alarmed.
alarmar, to alarm.

álbum, *m.*, album.
alcanzar, to reach, be able.
alcoba, *f.*, bed-room.
alcohol, *m.*, alcohol.
alegrarse, to be glad, rejoice.
alegre, happy, tipsy.
alegría, *f.*, happiness, joy.
alejar, to remove, get out of the way; **—se,** to go away.
alemán, *m.*, German.
alferecía, *f.*, epilepsy, fit.
alfiler, *m.*, pin.
alfilerazo, *m.*, pin-scratch, petty annoyance
alforja, *f.*, saddle-bag; *see* **sacar.**
algo, something; *as adv.*, somewhat.
algodón, *m.*, cotton, absorbent cotton; **un —,** a bit of cotton.
alguien, someone, anyone.
alguno, –a, some, any; *pl.*, several, a few; **—a estatuilla,** a little statue or two.
aliento, *m.*, breath; **sin —,** breathlessly.
alivio, *m.*, relief.
alma, *f.*, soul, spirit; **hija de mi —,** my dear girl.
almohadilla, cushion, pillow.
almorsá, *see* **almorzar.**
almorzar, to lunch, have luncheon.
alteradísimo, –a, very angry.
alterado, –a, taken aback, disconcerted.
alterar, to change; **—se,** to be upset.
alternativamente, alternately.
alto, –a, high, lofty, important; **en voz —a,** aloud.
altura, *f.*, height; **a la — del pelo,** where the hair begins.
alumbrado, –a, lighted.
alusión, *f.*, allusion, reference.
allá, there; *see* **ir; — San Pedro se las arregle,** St. Peter will have to attend to that.
allí, there; **— mismo,** there, that place.
amabilidad, *f.*, amiability, affability, graciousness.
amabilísimo, –a, very amiable *or* affable.
amable, amiable, affectionate, likable, pleasant, kind(ly).
amablemente, amiably.
Amalia, Amelia.
amante, loving.
amar, to love.
amargar, to embitter.
amargura, *f.*, bitterness, sorrow.
amarillo, –a, yellow.
ambos, –as, both.
amenazar, to threaten.
América, America.
americano, –a, *m. and f.*, American; **—a,** business suit, sack coat.
amiga, *f.*, friend.
amigo, *m.*, friend.
amigo, –a, friendly.
amo, *m.*, master.
amor, *m.*, love.
amueblado, –a, furnished.
anciana, *f.*, old lady.
ancho, –a, broad.
andaluz, –za, Andalusian.

andar, to walk, go, be; **anda, anda,** come, come, come on, go on; *see* **economía; ¡ anda éste !** go on with you !
ángel, *m.*, angel.
angustia, *f.*, anguish.
angustiadísimo, –a, very much distressed.
anhelante, breathless, eager.
anhelo, *m.*, longing.
ánima, *f.*, soul.
animación, *f.*, animation.
animal, *m.*, animal.
anoche, last night.
anonadado, –a, overwhelmed, speechless.
ansiedad, *f.*, anxiety, eagerness.
ante, before, in the presence of, because of.
antecesor, *m.*, predecessor.
antediluviano, –a, antediluvian.
antepecho, *m.*, sill, railing.
anterior, foregoing.
antes, before; — **de,** before; — **que,** before; **el de —,** the one before (him), his predecessor.
antesala, *f.*, anteroom, reception-room, hall.
antiguo, –a, old.
antipático, –a, disagreeable, unpleasant.
antojarse (a), to take a notion, occur to, seem.
anuncio, *m.*, announcement, forerunner, prophet, advertisement.
añadidura, *f.*, addition; **por —,** to boot.
añadir, to add.
año, *m.*, year; **el — que viene,** next year; **¿ cuántos —s tienes ?** how old are you ?
apagar, extinguish, put out; **apagaré,** I shall put out the lights.
apalear, to heap up; — **millones,** to be a millionaire.
aparato, *m.*, apparatus, fixture.
aparecer, to appear.
aparecido, *m.*, apparition.
aparente, conspicuous.
aparición, *f.*, apparition.
apariencia, *f.*, appearance.
apartar, to ward off, push away; **—se,** to go away, move (away); **¡ aparta !** go away !
aparte, aside, by oneself.
apasionado, –a, passionate.
apasionamiento, *m.*, (deep) feeling, vehemence, devotion; **con —,** passionately, vehemently.
aplicar, to apply.
apolillar, to be moth-eaten; **sin —,** free from moths.
apoyado, –a; — **en la mesa,** standing against the table.
apoyar, to support; **—se (en),** to lean (on) (against).
apreciación, *f.*, appreciation.
apreciar, to appreciate.
aprender, to learn.
apretar, to press, clench.
aprobación, *f.*, approbation, approval.
aprovechar, to take advantage of.

aproximadamente, approximately.
apuradísimo, –a, very much distressed.
apurado, –a, troubled, distressed.
apurarse, to worry.
apuro, *m.*, hardship, privation, distress.
aquel, –lla, that; **aquél, –lla,** (*demons. pron.*), that (one).
aquello, that, that thing.
aquí, here; **por —,** around here.
arcángel, *m.*, archangel.
arcángela, *see* **arcángel.**
ardid, *m.*, strategem, pretext.
ardiente, ardent.
armarito, *m.*, small cupboard *or* closet.
armarse, to arise, come up.
Arno, *m.*, Arno (*a river in Italy*).
arrancado, –a, taken.
arranque, *m.*, sudden start.
arrebatar, to snatch (away), blow off.
arreglar, to arrange.
arrepentirse, to repent, change one's mind.
arriba, up; **de — abajo,** up and down, from head to foot.
arrodillarse, to kneel.
arrojar, to throw.
arrullado, –a, calmed.
arte, *m. and f.*, art.
artículo, *m.*, article.
artista, *m. and f.*, artist.
artístico, –a, artistic.
artomovi, *see* **automóvil.**
ascender, to go up, be promoted.
asco, *m.*, nausea; **¡ qué — de hombres !** men nauseate me.
asegurar, to assure.
asesino, *m.*, assassin, murderer.
así, thus, so, that way.
asombrado, –a, astonished.
asombro, *m.*, astonishment, marvel.
aspecto, *m.*, aspect, appearance.
aspiración, *f.*, aspiration.
asunto, *m.*, matter, affair.
asustadísimo, –a, terrified.
asustado, –a, frightened.
asustar, to frighten; **—se,** to be frightened.
ataque, *m.*, attack, fit; **dar un —,** have an attack.
atar, to tie; *see* **loco.**
atención, *f.*, attention.
atender, to attend (to), heed, pay attention to.
aterrado, –a, terrified.
atmósfera, *f.*, atmosphere.
atraído, –a, attracted.
atrás (**de**), behind, back, backward; **hacia —,** backward.
atrasado, –a, behind the times, old-fashioned.
atravesar, to cross.
atreverse (**a**), to dare, venture; **— a tanto,** to take such a liberty.
aturdidamente, dumbfounded(ly), stupidly.
aumentar, to increase.
aún (*also* **aun**), yet, still, even.
aunque, although, (even) though.

ausencia, *f.*, absence.
ausente, absent.
autógrafo, *m.*, autograph, autograph poem.
automóvil, *m.*, automobile.
autonomía, *f.*, autonomy, independence.
autor, *m.*, author, writer.
autoridad, *f.*, authority; **con —,** authoritatively.
auxiliar, additional, extra.
auxilio, *m.*, help.
Ave María, Hail Mary; (*as exclamation*) the Saints preserve us! (*often best not to translate*).
aventura, *f.*, adventure.
avergonzado, –a, ashamed, embarrassed.
ávidamente, eagerly.
avieso, –a, mischievous.
avisar, to notify, inform.
¡ ay ! Oh! Ah!
ayer, yesterday.
ayudantas, *see* **ayudante.**
ayudante, *m.*, assistant.
ayudar, to aid, help.
azahar, *m.*, orange flower (water).
azúcar, *m.*, sugar.
azucena, *f.*, lily.
azul, blue.

B

babucha, *f.*, boudoir-slipper.
¡ bah ! bah! pshaw!
bailadora, *f.*, dancer.
bailaora, *see* **bailadora.**
bailar, to dance.
bailarín, *m.*, dancer.
baile, *m.*, dance.
bajar, to lower, descend, go down.
bajito, softly, in a low voice.
bajo, –a, low, lower.
balbucear, to stammer.
balcón, *m.*, balcony, window.
banca, *f.*, bank; **casa de —,** banking house, bank.
bandolero, *m.*, bandit.
banquero, *m.*, banker, backer.
bar *m.*, (*English*), saloon.
Bárbara, Barbara; **Santa —,** Saint Barbara.
Barbarita, *dim. of* **Bárbara,** Barbara.
barrio, *m.*, ward, district; **en el otro —,** in the other world.
barullo, *m.*, confusion.
basilisco, *m.*, basilisk; **hecho un —,** furious.
basta, enough! that will do.
bastante, enough, quite, rather; (*iron.*) little; considerable; **lo —,** enough.
bastar, to suffice, be enough.
bastón, *m.*, stick, cane.
bata, *f.*, kimono, wrapper.
beatíficamente, beatifically.
beber, to drink.
becerro, *m.*, calf.
bellota, *f.*, acorn, tassel.
bendito, –a (*past part. of* **bendecir**), blessed.
benévolo, –a, benevolent, kindly.
benjamín, *m.*, Benjamin; youngest (son).
berrinche, *m.*, (fit of) sulkiness; **se tomó un —,** had a sulky fit.

besar, to kiss.
beso, *m.*, kiss.
Bettina, (*proper name, Italian*).
bibelot *m.* (*French*), trifle, knickknack.
bicho, *m.*, animal, (little) creature.
bien, *m.*, good, advantage.
bien, well, carefully, right, very.
biselado, –a, bevelled.
bocamanga, *f.*, cuff, sleeve.
bochorno, *m.*, sultry weather, humidity, heat.
bochornosísimo, –a, very hot and humid, muggy.
boda, *f.*, wedding.
bolillo, *m.*, bobbin.
bolsillo, *m.*, pocket, hand-bag, pocket-book.
bolso, *m.*, bag, pocket-book.
bombón, *m.*, candy; **—es,** sweets, candy.
bondad, *f.*, goodness, kindness; *see* **tener.**
bonito, –a, pretty.
borde, *m.*, edge.
borrón, *m.*, blot.
bostezar, to yawn.
botella, *f.*, bottle.
botón, *m.*, button.
brazo, *m.*, arm; **del —,** arm in arm; **en —s,** in one's arms; **dar su — a torcer,** to give in.
breve, short, brief.
brevemente, for a short time, briefly.
brevísimo, –a, very short.
broma, *f.*, jest, joke; **a —,** in jest, lightly.
bromita, *f.*, jest, joke.
bronce, *m.*, bronze.
bruces; de —, face downward.
bruscamente, brusquely.
buen, *see* **bueno.**
bueno, –a, good, fine; (*adv.*) all right; **—s,** (*supply* **días**) good-bye.
burla, *f.*, mockery, jest.
burlarse (de), to make fun (of).
burlón, –ona, joking.
busca, *f.*, search.
buscar, look for, seek, find; **— con la vista,** to look around (for).

C

caballeresco, –a, gentlemanly.
caballerito, *m.*, young gentleman (*ironical*).
caballero, *m.*, gentleman; **¡ — !** sir!
cabello, *m.*, hair; **un —,** hair.
cabesa, *see* **cabeza.**
cabeza, *f.*, head.
cabezada, *f.*, nod; **dar —s,** to nod (*in sleep*).
cabezota, *f.*, (thick) head (*used scornfully*), "noddle."
cabo, *m.*, end; **— de mes,** (*day for a*) monthly mass; **al —,** finally, after all; **al — de,** after.
cacerola, *f.*, kitchen utensil.
cacharro, *m.*, jug; **—s,** pottery.
cada, each, every; **— uno es — uno,** each one is itself (himself).
cadáver, *m.*, dead body, dead person.

cadena, *f.*, chain.
caer, to fall; — **en gracia,** to make a favorable impression; **viene a** —, finally falls, alights.
caída, *f.*, fall, mistake.
cajón, *m.*, drawer.
calentura, *f.*, fever.
calinerie, *f.* (*French*), coaxing; **con** —, coaxingly.
calma, *f.*, calm, patience; **con** —, calmly; **con toda** —, very calmly; — **chicha,** dead calm.
calor, *m.*, heat; **noche de** —, hot night.
calvo, –a, bald.
callado, –a, quiet, silent; **estarse** —, to keep still.
callar, to keep still, be quiet.
calle, *f.*, street; — **arriba,** up the street; — **abajo,** down the street; **por esas** —**s,** (*out*) in the street.
cama, *f.*, bed; **meterse en la** —, to get to bed.
cambiar (de), to change.
cambio, *m.*, change; **en** —, on the other hand.
camino, *m.*, way, road.
camisa, *f.*, chemise.
camisón, *m.*, nightgown.
canal, *m.*, canal.
candidata, *f.*, candidate.
candor, *m.*, frankness, simplicity.
cansado, –a, tired.
cansancio, *m.*, fatigue.
cantar, to sing.
capaz, capable.
capítulo, *m.*, chapter.
capricho, *m.*, caprice, notion.
cara, *f.*, face, expression; — **a** —, in the face, face to face; *see* **poner**; **volver la** —, to turn (*around*); **poner mala** —, to look cross.
característica, *f.*, characteristic; **es su** —, is characteristic of her.
carga, *f.*, burden.
caricia, *f.*, caress.
cariño, *m.*, love, affection, tenderness; **por mi** —, for love of me; **tomar** — **a,** to grow fond of.
cariñosamente, affectionately.
cariñoso, –a, affectionate; (*as adv.*) affectionately.
Carlos, Charles.
Carmen, *proper name, see* **Virgen.**
carne, *f.*, meat.
caro, –a, dear, expensive; (*as adv.*), dearly.
carpeta, *f.*, file, filing-case.
carrera, *f.*, race, running, course.
carta, *f.*, letter; *see* **papel.**
cartujo, *m.*, Carthusian monk.
casa, *f.*, house, home.
casado, –a, married.
casar (con), to marry; —**se,** marry, get married.
casco, *m.*, skull, head; —**s,** head, brain; *see* **romper.**
casi, almost, nearly.
caso, *m.*, case, fact; **hacer** —, to pay attention, heed.
casta, *f.*, race, family; **de** — **le viene,** she comes by it naturally.

castellano, *m.*, Castilian, Spanish.
Castellanos, *proper name.*
casualidad, *f.*, chance; **no va a dar la pícara —,** we are not going to have the bad luck.
catástrofe, *f.*, catastrophe, calamity; *see* **menudo.**
causa, *f.*, cause; **por — de,** because of, on account of.
causar, to cause.
cazar, to hunt, catch.
celebrar, to be glad (happy).
célebre, famous.
celo, *m.*, zeal; *pl.*, jealousy.
celoso, –a, jealous.
cenar, to eat supper; **acostarse sin —,** to go to bed without supper.
cenicienta, Cinderella.
centro, *m.*, center.
ceño, *m.*, frown.
cepillar, to brush.
cepillo, *m.*, brush.
cerca, near; **— de,** near; **de —,** near.
cerrar, to close (up), shut (off), lock the door, close the window.
cerúleo, –a, cerulean, azure.
cestillo, *m.*, (small) basket.
cesto, *m.*, basket, waste-basket.
cielo, *m.*, heaven.
cierto, –a, certain, a certain, sure; **por —,** to be sure, by the way; **no por —,** of course not.
cigarrera, *f.*, cigarette-maker.
cigarrillo, *m.*, cigarette.
cinco, five.
cincuenta, fifty.
cínico, *m.*, cynic.
cintura, *f.*, girdle, belt, waist; **meterle en —,** to keep him in order, make him behave.
circunstancia, *f.*, circumstance.
citar, to cite, quote.
civil, civil.
claro, clear, light (colored), bright; **¡—!** of course; **— que,** of course; **— que sí,** of course (you will); **— es que,** to be sure.
clavel, *m.*, carnation.
clientela, *f.*, clientele.
cobarde, cowardly; **lo —s,** how cowardly.
cocina, *f.*, kitchen.
cocinera, *f.*, cook.
coche, *m.*, carriage.
codo, *m.*, elbow.
coger, to take, take hold of, seize, pick up.
cogido, –a, held, clasped; **con la mano —a,** holding her hand.
cojo, –a, lame; *see* **pata.**
colación, *f.*, repast, refreshment.
colarse, to intrude.
colgado, –a, suspended, hanging.
colgar, to hang.
colmo, *m.*, height; a kind of conundrum.
colocado, –a, placed.
colocar, to place, put; **el punto de vista en que uno se coloque,** the viewpoint which one takes.
coloquio, *m.*, conversation, talk.

color, *m.*, color; *see* **pez; de —,** colored.
coma, *f.*, comma, pause.
comedia, *f.*, play, comedy.
comer, to eat, dine; **—se,** to eat; *see* **pan.**
comestible, *m.*, food; **tienda de —s,** grocery.
cometer, to commit.
cómico, *m.*, actor.
cómico, –a, comic; *see* **novela.**
comino, *m.*, cumin-seed; **me importan un —,** do not matter to me in the least.
como, as, as for, like, since, if; **¡ cómo !** (**¿ cómo ?**) how, how well, what, how does it happen?; **¿ cómo (qué) . . . ?** what do you mean (by) . . . ?
cómodamente, comfortably, at ease.
cómodo, –a, comfortable.
compadecer, to be sorry for, pity.
compañero, *m.*, companion, mate.
comparado, –a, compared, in comparison.
compás, *m.*, compass, measure; **a — de,** in time with, in accord with.
compasión, *f.*, compassion, pity; **me daba —,** it touched me.
complacerse, to take pleasure.
complacido, –a, pleased.
completamente, entirely, completely, absolutely.
completo, –a, complete; **por —,** completely, at full length.
cómplice, *m.*, accomplice.
componer, to arrange; **—se,** to dress up.
comprar, to buy.
comprender, to understand.
comprometido, –a, compromised.
compuesto, –a (*past part. of* **componer**), dressed-up.
común, common.
comunicación, *f.*, communication; **es la —,** communicates with, gives access to.
comunión, *f.*, communion.
con, with, by, against, in.
conceder, to grant.
concepto, *m.*, conceit, idea, remark.
conciliador, –ra, conciliating(ly).
condescendiente, condescending(ly).
conducir, to lead.
conducta, *f.*, conduct.
conejo, *m.*, rabbit; **de Indias,** guinea-pig.
conferencia, *f.*, conference.
confesar, to confess.
confesión, *f.*, confession.
confianza, *f.*, confidence; **tener — con alguien,** to be on familiar terms with, to know well.
confiar, to trust, depend.
confidencial, confidential(ly).
confidencialmente, confidentially.
conforme, in accord, according (to).
confort, *m.* comfort.
confusamente, vaguely, confusedly.

confusión, *f.*, confusion.
confuso, –a, confused.
conjugal, conjugal.
conmigo, with me; **casarse —,** to marry me.
conmiseración, *f.*, pity, commiseration.
conocer, to know, be acquainted with, meet.
conquista, *f.*, conquest.
conquistador, –ra, conquering, fatuous.
conseguir, to accomplish, succeed (*in teaching, etc.*), manage (to), bring about; **consigue levantarse,** finally gets up; **consigue que nos sucedan,** causes to happen to us.
consentimiento, *m.*, consent.
consentir (**en**), to consent (to), allow, permit.
conservar, to keep.
considerado, –a, considerate.
considerar, to consider.
consolar, to console, comfort.
constar, to be clear, be established; **eso me consta,** I am sure of that.
consulta, *f.*, reference.
contador, *m.*, meter.
contagiado, –a, infected, won over.
contar, to tell, count, relate; **— con,** count on, expect.
contemplación, *f.*, contemplation.
contemplar, to contemplate, look at.
contemporáneo, –a, contemporary, present day.
contener, to restrain, hold in check.
contentarse, to content oneself, be satisfied.
contento, –a, happy, content, self-satisfied.
contestación, *f.*, answer, reply.
contestar, to answer, reply.
continental, *m.*, special-delivery letter.
contra, against.
contrariedad, *f.*, opposition, contradiction; **en cuanto tienes una —,** as soon as something goes wrong; **no tengo —,** nothing has gone wrong.
contrario, –a, contrary, opposite; **al —,** on the contrary.
contribuir, to contribute, help to.
convencer, to convince, persuade; **se dejó —,** he let himself be persuaded.
convencidísimo, –a, with much conviction.
convencido, –a, convinced, reassured.
convenir, to agree, come to terms.
convensidos, *see* **convencido.**
conversación, *f.*, conversation.
convidar, invite.
copiado, –a, copied.
copiar, to copy.
copita, *f.*, small glass.
copla, *f.*, verse.
coquetería, *f.*, coquetry.
corazón, *m.*, heart, feeling, sensibility.
corbata, *f.*, neck-tie.

Córdoba, *proper name.*
corona, *f.*, crown.
correctamente, correctly.
correctísimo, –a, very (*or* most) correct.
correcto, –a, correct, proper.
corregir, to correct.
correo, *m.*, mail.
correr, to run, (*of wind*) to blow, stir.
corriente, *m. and f.*, current; **— de aire,** draft; **poner al — de,** to put in touch with, explain, inform.
corrigiendo, *see* **corregir.**
cortado, –a, embarrassed.
cortar, to cut (off); **—se,** to be embarrassed.
corte, *m.*, cut.
cortésmente, courteously.
cortina, *f.*, curtain.
corto, –a, short, small.
cosa, *f.*, thing, matter; **una —,** something, one thing.
costa, *f.*, cost, expense.
costar, to cost; *see* **ojo.**
costumbre, *f.*, custom, habit; **de —,** usual.
couplet, *m.* (*French; usually spelled in Spanish* **cuplé**), popular song.
creciente, increasing.
creer, to believe, think; **¿ usted cree ?** do you think so ? **¡ ya lo creo !** I should say so !
criado, –a, *m. and f.*, servant.
criar, to bring up.
crimen, *m.*, crime.
criminal, *m.*, criminal.
crío, *m.*, child, baby.
crisis, *f.*, crisis.
cristal, *m.*, glass.
crítico, *m.*, critic.
cruel, cruel.
crueldad, *f.*, cruelty.
cruelmente, cruelly.
cruzado, –a, crossed.
cruzar, to cross, pull together.
cuadro, *m.*, square, check, plaid, picture.
cual; **el —, la —, los(las) —es,** which, who, whom, that; **lo —,** which; **con lo —,** wherefore.
cualquiera, any, anyone.
cuando, when.
cuanto, –a, as much, as many; **en —,** whenever, as soon as; **unos —s,** a few; **cuánto, —a,** how much; *pl.* how many.
cuartilla, *f.*, sheet (of paper).
cuarto, *m.*, room; **— de trabajo,** study, work-room.
cuatro, four; a few.
cuatrocientos, –as, four hundred.
cubierta, *f.*, cover.
cubierto, *m.*, table silver.
cucurucho, *m.*, cornucopia, paper cone.
cucharilla, *f.*, teaspoon.
cuello, *m.*, neck.
cuenquecito, *m.*, little bowl.
cuenta, *f.*, account; **dar —,** explain, give an account; **no les sale la —,** they don't get what they expect; **les sale cara la —,** it costs them dear; **a — de,** on account of; **darse — de,** to realize; **eso es — mía,** that is my affair;

tener en —, to take into consideration, pay attention to.

cuento, *m.*, story, tale, fairy story.

cuerda, *f.*, cord; *see* **dar.**

cuerpo, *m.*, body; **tu — lo paga,** your health will suffer, you'll pay for it (not I).

cuestión, *f.*, question.

cuidado, *m.*, care; **te trae muy sin —,** does not concern you at all; **tener —,** to worry; **tener — (con),** to be careful (of); **aunque la cosa le trae perfectamente sin —,** although the matter does not interest him in the least.

cuidadosamente, carefully.

cuidar, to take care of.

culpa, *f.*, blame, fault; **tener la —,** to be to blame.

cumplir, to fulfill, accomplish, realize, complete; **veintitrés he cumplido,** I was twenty-three; **acabo de — veintitrés años,** I have just passed my twenty-third birthday.

cupletista, *f.*, vaudeville singer.

cura, *f.*, treatment; **hacer una —,** to give a treatment.

cura, *m.*, priest; **este —,** this chap, myself, I.

curar, to treat.

curiosidad, curiosity; **con —,** inquiringly.

Ch

chaleco, *m.*, vest.

champagne, *m.* (*French*), champagne.

chaparrón, *m.*, shower.

charada, *f.*, charade.

chico, *m.*, (little) boy.

chicha, *see* **calma.**

chillar, to scream, yell.

chimenea, *f.*, fireplace, mantel.

chiquilla, *f.*, (little) girl, child, "dearie"; childish(ly).

chiquillería, *f.*, childishness, childish thing; **con —,** petulantly (*this word does not appear in the ordinary dictionaries in this sense*).

chiquillo, *m.*, child, little boy.

chisgarabís, *m.*, meddler.

chispa, *f.*, spark; **echar —s,** to get excited.

chiste, *m.*, joke.

chocar, to surprise, shock.

chocolate, *m.*, chocolate.

D

dama, *f.*, lady.

danzante, *m.*, dancer.

dar, to give, strike; **— un paseo,** to take a walk; **— dos pasos,** to take two steps; **van a — las once,** it is almost eleven; **— vapores,** to have a dizzy spell; **— cuerda,** to wind (a clock); *see* **pereza; — la luz,** to turn on the light; *see* **paso;** *see* **lástima;** *see* **ataque; —se aire,** to fan oneself.

de, of, from, at, on, in, with, for, than.

debajo, underneath; **— de,** under.

deber, *m.*, duty.

deber, to owe, ought; **debe estar,** should be; **he debido decir,** I ought to have said; **una mujer como es debido;** the right kind of woman.
debutar, to make one's debut.
decente, decent, respectable.
decentito, –a, decent, respectable.
decepción, *f.*, disillusionment.
decidido, –a, determined(ly).
decidir, to decide; **—se,** decide.
decir, to say, tell, talk; **no lo dirás por ti,** you don't mean (include) yourself; *see* **querer; es —,** that is; **— que sí (a),** to accept, say yes; **no lo digo por ti,** I'm not talking about you.
decisión, *f.*, decision; **con —,** decisively.
declaración, *f.*, declaration (of love).
declararse, to make a declaration of love.
decoración, *f.*, (stage) setting.
decoro, *m.*, decorum, dignity.
decoroso, –a, seemly, satisfactory.
defecto, *m.*, defect, fault.
defender, to defend; *see* **que.**
defendido, –a, protected.
dejadez, *f.*, laziness, indolence; **— artística,** lack of inspiration.
dejar, to leave, let, allow, put down; **— de,** to stop, cease, fail to; **deja, deja,** never mind, don't bother; **déjame,** let go of me; **deja sospechar,** makes one suspect.
del (de el), of the.
delantal, *m.*, apron.
delante (de), before, in front (of).
deleite, *m.*, delight.
delicioso, –a, delightful, beautiful.
delito, *m.*, crime.
demasiado, -a, too much, too; (*adv.*) too much.
demonio, *m.*, devil; **estaré hecha un —,** I must look a fright.
demostrar, to demonstrate, show.
dentro (de), within, off-stage, inside (of); *see* **hacia.**
depender, to depend.
derecho, *m.*, right; **te crees con —,** you think you have a right.
derecho, –a, right, straight; **la de la —a,** the one at the right.
derredor, *m.*; **en —,** around, about.
derribar, to throw (knock) down.
derrotado, –a, defeated.
desabrimiento, asperity, acerbity.
desabrochado, –a, unfastened.
desabrochar, to unfasten
desafío, *m.*, challenge, defiance; **con —,** defiantly.
desagradable, disagreeable, unpleasant.
desagradar, to displease.
desagradecido, –a, ungrateful.
desagrado, *m.*, displeasure.
desaliento, *m.*, discouragement.

desangrar, to bleed (to death).
desaparecer, to disappear.
desarreglar, to disarrange.
desatar, to untie.
desatino, *m.*, nonsense.
desbarrar, to "gabble," talk too much *or* too freely.
descalabrado, –a, bruised, scratched.
descalabradura, *f.*, contusion, wound.
descalzo, –a, bare (*of the foot*), unshod.
descansar, to rest.
descanso, *m.*, rest, relief.
descarga, *f.*, downpour.
desconcierto, *m.*, disconcertment, perturbation.
desconocido, –a, unknown.
desconsoladamente, disconsolately.
descubrimiento, *m.*, discovery.
descubrir, to discover, disclose.
descuidado, –a, easy in one's mind, unworried; **vaya usted** —, don't worry.
desde, from, since; — **que,** since.
desdén, *m.*, disdain.
desdeñoso, –a, disdainful.
desdicha, *f.*, misfortune.
desear, to wish, desire, like.
desempeñar, to fill (*a place*).
desencanto, *m.*, disillusionment, disappointment.
desenganchar, to unfasten.
desenredar, to untangle.
desente, *see* **decente.**
desequilibrado, –a, scatter-brained, unbalanced.
desesperación, *f.*, desperation, despair.
desesperado, –a, desperate, in despair.
desfallecido, –a, faint.
desgarrar, to rend, tear.
desgraciadamente, unfortunately.
desgreñado, –a, disheveled.
deshacerse, to come undone, come loose.
deshonra, *f.*, dishonor, disgrace.
deshonrado, –a, dishonored, disgraced.
desí, *see* **decir.**
desilusión, disillusionment.
desilusionado, –a, disillusioned, disappointed.
desilusionar, to disillusion; **—se,** to be disillusioned.
desir, *see* **decir.**
deslumbrado, –a, dazzled, bewildered.
deslumbrador, –ra, blinding, dazzling.
deslumbrante, dazzling, blinding.
desmañado, –a, clumsy.
desmayarse, to faint.
desnudarse, to undress.
desolación, *f.*, desolation, despair.
desollar, to skin, bark.
desorden, *m.*, disorder.
desordenado, –a, careless, disorderly.
despacio, slowly.
despacito, slowly.
despachito, *m.*, (little) study, office.

despacho, *m.*, study, office.
despecho, *m.*, anger, despite.
despedida, *f.*, leave-taking.
despedir(se), to take leave (of), say good-bye (to).
despeinarse, to take down one's hair.
despertar, to wake; **—se,** to wake up, awake.
despierto, –a, awake.
desplomarse, to fall.
desprecio, *m.*, scorn, contempt.
desprendimiento, *m.*, detachment, disinterestedness.
despropósito, *m.*, nonsense.
después, after, afterwards; **— de,** after; **— que,** after.
destino, *m.*, fate, destiny, lot.
destrozo, *m.*, destruction.
desvanecido, –a, fainting.
desvarío, *m.*, madness.
detalle, *m.*, detail, accessory, little thing.
detener, to stop, arrest; **—se,** to stop.
detrás (de), behind.
devanar, to wind; **—se los sesos,** to rack one's brains.
devolver, to return, give back.
día, *m.*, day; **buenos —s,** good day, good morning, good-bye; *see* **santo**; **un — es un —,** one day will do as well as another.
diablo, *m.*, devil; **¡qué mil —s!** what the devil!
dibujo, *m.*, sketch, drawing.
dictar, to dictate.
dicho, *see* **decir.**
dichoso, –a, blessed (*often ironical*).
diente, *m.*, tooth; **entre —s,** under one's breath.
diferente, different.
difunto, *m.*, dead, deceased (husband).
difunto, –a, deceased, dead.
diga, *see* **decir.**
dignarse, to deign, condescend.
dignidad, *f.*, dignity.
digno, –a, dignified(ly), worthy, self-respecting; **muy —,** with much dignity; **— de vivirse,** worth living.
dije, *m.*, locket.
diluviar, to pour (*of rain*).
diminutivo, *m.*, diminutive.
dinero, *m.*, money.
Dios, *m.*, God; **— mío,** good heavens, for heaven's sake; **por —,** for heaven's sake.
dirección, *f.*, address.
director, *m.*, director, editor.
dirigirse (a), to go toward, approach, speak to.
discreción, *f.*, discretion.
discreto, –a, wise, discreet, sensible, clever, prudent.
disculpa, *f.*, excuse.
disculpar, to excuse, pardon.
discurso, *m.*, speech, discourse.
disfrutar, to enjoy, enjoy oneself.
disgusto, *m.*, displeasure, trouble; **— gordo,** big row.
disimular, to conceal.
dispensar, to pardon, excuse; **usted dispense,** excuse me.
displicente, cross(ly).
displicentísimo, –a, very cross(ly).

disponerse (a), to prepare, get ready.
dispuesto, –a (*past part. of* **disponer**), ready, arranged, disposed.
distinguido, –a, distinguished, elegant; **muy poco —**, not very elegant.
distinto, –a, different.
distracción, *f.*, distraction.
distraer, to distract; **—se**, to pass the time.
distrito, *m.*, district.
diván, *m.*, sofa, divan.
divertido, –a, amusing.
divertir, to amuse; **—se**, have a good time, amuse oneself.
divino, –a, divine.
doblar, to fold (up).
doce, twelve.
docena, *f.*, dozen.
dócil, docile.
doctora, *f.*, doctor.
dólar, *m.*, dollar.
doler, to hurt, distress.
dolidísimo, –a, very pained.
dolido, –a, pitying(ly), pained.
doliente, patient, long-suffering.
domicilio, *m.*, house, dwelling.
dominante, domineering.
dominar, to master, control.
dómine, *m.*, school-master.
domingo, *m.*, Sunday.
don, Mr. (*a title of courtesy and respect used only with the Christian name*).
doncella, *f.*, maid.
donde, where; **por — ha venido (salido)**, the way you came (went out); **¿ dónde ? (dónde)**, where ? where; **¿ por dónde iba a entrar ?** how could he get in ?
doña, Miss *or* Mrs.; (*a title of courtesy and respect, used only with the Christian name*).
dormido, –a, asleep.
dormir, to sleep; **—se**, to fall asleep, go to sleep.
dos, two; *see* **uno**.
drama, *m.*, drama.
dramático, –a, dramatic.
duda, *f.*, doubt.
dudar, to doubt.
duende, *m.*, ghost.
dueño, *m.*, master, owner, husband.
dulce, sweet.
dulleta, *f.*, loose wrap.
durante, during.
duro, *m.*, five-peseta piece (*worth nominally about a dollar*).

E

e, and.
¡ ea ! so there ! here goes ! well ! anyway !
economía, *f.*, economy; **andar con —s**, to scrimp and save.
echar, to put, place, throw, pour; **— una carta**, to mail a letter; **— a**, to start; **— a andar**, to walk off; *see* **lamparilla**; **— a reír**, to burst out laughing; **— a perder**, to spoil.
edad, *f.*, age.
efecto, *m.*, effect; **en —**, in fact.
efusión, *f.*, effusion, cordiality.

efusivamente, cordially, effusively.
efusivo, –a, effusive, cordial.
¡ eh ! eh ! what !
ejém, ahem.
el, the; **— de,** that of, the one of; **— que,** he who, the one which.
él, he, it, him; **de —,** his.
eléctrico, –a, electric.
elegante, elegant, distinguished, *chic.*
elegantemente, elegantly.
elegantísimo, –a, very elegant.
elegido, –a, chosen, choice.
elemental, elementary, simple.
elocuencia, *f.*, eloquence.
elocuente, eloquent, expressive.
ella, she, it, her.
ellas, they, them.
ello, it.
ellos, they, them.
embajada, *f.*, message, plea.
embeleso, *m.*, amazement.
emborronar, to blot, cover with blots, spoil.
Emilio, Emil.
emoción, *f.*, emotion.
emocionado, –a, filled with emotion.
emocionarse, to be thrilled *or* stirred.
empapar, to soak.
empeñado, –a, insistent, insisting.
empeñarse (en), to insist (upon).
empezar, to begin.
empleado, –a, employed; **le está muy bien —,** it's good enough for you, it serves you right.
empleo, *m.*, employment, position; **ascender de —,** to be promoted.
emprender, to undertake, start.
empujar, to push.
empujón, *m.*, push, shove.
en, in, on, against, at, to.
enamoradísimo, –a, very much in love.
enamorado, *m.*, lover.
enamorado, –a, in love, enamoured.
enamorarse, to fall (be) in love.
encaje, *m.*, lace, lace-making.
encandilado, –a, interested, enthusiastic, excited(ly).
encanto, *m.*, charm.
encargo, *m.*, command, request; **con acento de — supremo,** in a tone of earnest admonition.
encasquetar, to slam on (one's head).
encender, to light.
encendido, –a, lighted.
encerrar, to shut up.
encima (de), above, upon, on; **por —,** above.
encoger, to contract, draw together; **—se de hombros,** to shrug one's shoulders.
encontrar, to find, meet; **no se encuentra,** it is not to be found; **—se con,** to meet.
endemoniado, –a, infernal, devilish.
energía, *f.*, energy; **con —,** energetically.

enérgicamente, energetically.
enfadadísimo, -a, very angry (angrily), very much annoyed.
enfadado, -a, angry.
enfadarse, to get angry.
enfado, *m.*, anger.
enfermar, to fall sick, get sick.
enfrente, opposite; **de —,** opposite, across the street.
enfurruñado, -a, angry, troubled, taken aback.
enganchado, -a, caught.
engancharse, to catch.
engañar, to deceive, betray.
enhorabuena, *f.*, congratulation; **que sea muy —,** I congratulate you; I hope you'll have a good time.
enloquecido, -a, crazy.
enmarañar, to tangle.
enojo, *m.*, anger, annoyance.
enredado, -a, entangled, on top of each other.
enredar, to entangle, involve; **—se,** to become entangled.
enredoso, -a, tangly, snarly.
Enrique, Henry.
enseñar, to teach, show.
ensueño, *m.*, dreaming, illusion.
entender, to understand, hear.
enterarse (**de**), to find out.
entero, -a, entire, whole; *see* **semana.**
entonces, then.
entrada, *f.*, entrance.
entrar, to enter, go (*or* come) in, into; **le entraba,** came over him, afflicted him; **me va a — un miedo espantoso,** I am going to be terribly frightened; **hacer — volando,** to send flying in.
entre, between, among, about.
entregar, to give, hand (over).
entusiasmado, -a, enthusiastic, pleased.
entusiasmarse, to become enthusiastic, get excited.
entusiasmo, *m.*, enthusiasm.
entusiasta, enthusiastic.
enumerar, to enumerate.
envidia, *f.*, envy; **me da una —,** it makes me envious.
envidiar, to envy.
equilibrio, *m.*, sanity, good (mental) balance.
equilibrista, *m.*, tight-rope walker, acrobat.
equis, *f.*, (*the letter*) X.
equivocación, *f.*, mistake, error.
equivocado, -a, mistaken.
equivocarse (**de**), **to make a** mistake (in).
er, *see* **el.**
Ernesto, Ernest.
erróneo, -a, erroneous.
escampar, to clear up (*of rain*).
escandalizadísimo, -a, very much scandalized.
escandalizado, -a, scandalized, shocked.
escandalizar, to scandalize, shock; **—se,** to be scandalized *or* shocked.
escándalo, *m.*, scandal.
escandalosamente, scandalously.

escapar, to escape; **—se,** to escape, get away.
escena, *f.*, scene, stage; **en —,** on the stage.
escepticismo, *m.*, scepticism.
escéptico, –a, sceptical(ly).
esclavitud, *f.*, slavery.
esclavo, –a, *m. and f.*, slave.
escocer, to smart.
escocés, Scotch.
esconder, to hide.
escondite, *m.*, hiding-place; **jugar al —,** to play hide-and-seek.
escribir, to write.
escrito, –a (*past part. of* **escribir**), written, enrolled.
escritorio, *m.*, desk.
escuchar, to listen (to).
escuece, *see* **escocer.**
escurrir, to slip out (from under); *see* **hombro.**
ese, –a, that; **ése, –a** (*demons. pron.*), that (one); **¡a —!** seize him!
esforzarse, to try, strive.
Eslava, *a theater in the Pasadizo de San Ginés, Madrid. G. Martínez Sierra is director and Catalina Bárcena the leading woman.*
eso, that, that thing; **— es,** that's it; **por —,** therefore, for that reason; *see* **sí; y — que,** even though.
espacio, *m.*, space.
espalda, *f.*, back; **de —s a,** with her back to; **dar la —,** to turn one's back.
espantado, –a, startled, frightened.
espanto, *m.*, fright, terror; **con cierto —,** somewhat frightened.
espantoso, –a, terrible, frightful; *see* **entrar.**
especialísimo, –a, very particular *or* special.
espectáculo, *m.*, spectacle.
espejito, *m.*, small mirror.
espejo, *m.*, mirror.
espera, *f.*, waiting.
esperanza, *f.*, hope, hopes.
Esperanza, Hope.
esperanzado, –a, hopeful.
esperar, to wait (for), await, expect, hope; **estar esperando,** to stay (at home) waiting; **—se,** to wait.
espinilla, *f.*, shin.
espíritu, *m.*, spirit.
espontáneo, –a, spontaneous.
esposa, *f.*, wife.
esquina, *f.*, corner.
estallar, to burst (out), explode.
estampa, *f.*, print.
estantería, *f.*, book-shelves; **una gran —,** a large open book-case.
estar, to be, stay, be at home; **—se,** to stay (up); **ya está,** there (you are) now, it's all right; **aunque me esté mal el decirlo,** although it doesn't become me to say it; **está bien,** all right; **nos está mal el decirlo,** it is unbecoming in us to say it.
estatua, *f.*, statue.
estatuilla, *f.*, little statue.
este, –a, this; **éste, –a** (*demons.*

pron.), this (one), the latter; he, she, etc. (*emphatic*).
esterilla, *f.*, mat, rug.
estilográfico, –a, stylographic; **pluma —a,** fountain pen.
estirarse, to stretch.
esto, this, this thing; **¿ qué es —?** what's the matter? what is this?
estorbar, to disturb, annoy, be in the way.
estrechar, to press, hold (tightly).
estrechísimamente, very tightly.
estrecho, –a, narrow.
Estrellita, *proper name;* **La — Polar,** the Pole-Star.
extremo, *m.*, end.
estrenar, to produce, play for the first time; to wear for the first time.
estuche, *m.*, case.
estudiante, *m. and f.*, student.
estudiar, to study; **— la carrera de Farmacia,** to take a course in Pharmacy.
estudio, *m.*, studio.
estupefacción, *f.*, stupefaction.
estupidez, *f.*, stupidity.
etc. (= **etcétera**), et cetera, and so forth, etc.
eterno, –a, eternal.
etiqueta, *f.*, etiquette; *see* **traje.**
Eva, Eve.
evanescente, evanescent.
evidentemente, evidently.
evitar, to avoid.
evocación, *f.*, reminiscence.
ex, former, ex-
exactitud, *f.*, exactitude.
exacto, –a, exact, correct.
exageradísimo, –a, very exaggerated, extravagant.
exaltar, to exalt.
examen, *m.*, examination.
examinar, to examine.
excepto, except.
excitado, –a, excited.
exclamación, *f.*, exclamation.
exclamar, to exclaim.
excursión, *f.*, trip, excursion.
exhalar, to breath out, utter.
exigir, to demand, require.
existencia, *f.*, existence.
éxito, *m.*, success.
experimento, *m.*, experiment.
explicar, to explain.
expresión, *f.*, expression.
exquisito, –a, exquisite, perfect.
extranjero, –a, foreign.
extranjis; de —, foreign.
extrañar, to surprise.
extraño, –a, strange.
extraoficialmente, unofficially.
extraordinariamente, extraordinarily.
extraordinario, –a, extraordinary.
extremo, –a, extreme; **en —,** extremely, very much.

F

falda, *f.*, skirt, lap.
falta, *f.*, lack, want; **hacer —,** to need, want, be necessary; **ni — que te hace,** nor do you need it; **buena — le hace,** she needs it badly.
faltar, to be lacking *or* missing.

nadie te ha faltado, no one has insulted you; no faltaría más, why certainly, to be sure.
faltriquera, *f.*, pocket.
fama, *f.*, reputation.
fantaseador, –ra, fanciful, imaginative.
fantasía, *f.*, imagination, fancy, imaginings.
fantasma, *m.*, phantom, ghost.
fantástico, –a, fanciful, fantastic.
farmacia, *f.*, pharmacy.
farsa, *f.*, farce, deception.
fastidiar, to annoy, bore.
fatalista, fatalistic.
fatuidad, *f.*, fatuousness; **¡ qué —!** how fatuous!
fatuo, –a, fatuous.
favor, *m.*, favor, kindness; **hacer el — de,** please, be kind enough to.
fe, *f.*, faith.
felices, *see* **feliz.**
felicidad, *f.*, happiness.
felicitar, to congratulate.
Felipe, Philip.
feliz, happy.
femenino, –a, feminine; **lo —,** femininity.
feo, –a, ugly, homely.
fervor, *m.*, fervor, ardor; **con —,** ardently.
fiarse (de), to trust (in).
fidelidad, *f.*, fidelity.
fiero, –a, fierce(ly).
figura, *f.*, figure.
figurarse, to imagine.
fijamente, fixedly.
fijarse (en), to notice; **—se bien,** to note carefully.
fijo, –a, fixed, definite, *see* **punto.**
filosófico, –a, philosophical(ly).
fin, *m.*, end; **sin —,** infinity, endless number; **en —,** finally, after all, at last; **por —,** finally, at last.
final, *m.*, end, ending.
finamente, politely.
fingido, –a, feigned, pretended.
fingir, to pretend.
fino, –a, courteous, attentive, fine, polite.
finura, *f.*, courtesy, delicacy.
firma, *f.*, signature.
firmamento, *m.*, sky.
flamenco, *m.*, gypsy style (*of dance*).
flaqueza, *f.*, weakness.
flojo, –a, loose, weak.
flor, *f.*, flower; acme.
florecer, to blossom, bloom.
Florencia, Florence (*a city in Italy on the river Arno*).
Florianni, *proper name* (*Italian*).
florista, *f.*, flower-girl.
flotar, to float, fly.
folletín, *m.*, serial story (*published in a newspaper*); **de —,** serially.
fondo, *m.*, back (*of stage*), substance (*of a book, etc.*).
formal, serious, respectable, formal.
formalísimo, –a, very serious *or* proper.
formar, to form.
formidable, great, formidable.

fórmula, *f.*, formula.
fragancia, *f.*, fragrance.
fraile, *m.*, monk.
francés, *m.*, French (*language*), Frenchman.
francés, –esa, French.
frase, *f.*, sentence.
frasquito, *m.*, small flask.
frecuencia, *f.*, frequency; **con bastante —,** quite frequently.
frenético, –a, mad; **poner —,** to drive mad.
frente, *f.*, forehead.
frente a, opposite.
frotar, to rub.
fruncido, frowning; **con el ceño —,** with a frown.
fruncir, to frown; **— el ceño,** to frown.
fuera, outside; *see* **oficio.**
fuerte, strong; *as adv.*, hard; **mujer —,** emancipated woman.
fuerza, *f.*, strength, force, violence; **—s,** strength, effort; **por —,** necessarily, inevitably; **a — de,** because of.
fugarse, to escape, run away.
fulgor, *m.*, flash, glare.
fumar, to smoke; **— en pipa,** to smoke a pipe.
furioso, –a, furious(ly).

G

Gaceta, *f.*, Gazette (*paper in which governmental news announcements, etc. are printed*); **mentir más que la —,** to lie worse than the newspapers.
galante, gallant(ly).
galantería, *f.*, gallantry, flattery.
gana, *f.*, desire; **tener —(s) de,** to wish, to want, long (for), be eager; **no me da la — de,** I don't want to.
ganar, to win, gain, earn (*money*); **— la vida,** to earn one's living.
garantía, *f.*, guarantee.
garantizar, to guarantee.
garbo, *m.*, grace.
gasa, *f.*, gauze.
gastar, to spend, waste, wear out, spoil.
gasto, *m.*, expense.
gemelo, –a, twin; **alma —a,** twin soul, soul-mate.
general, general.
generalmente, generally.
género, *m.*, gender, kind.
generosísimo, –a, very generous.
generoso, –a, generous.
geniaso, *see* **geniazo.**
geniazo, bad temper, fit of temper; **qué — se les pone a los novelistas,** what a fit of temper novelists have.
genio, *m.*, disposition, temper.
gente, *f.*, people.
gesto, *m.*, gesture, motion, grimace.
glacial, glacial, frigid.
gloria, *f.*, glory, heaven; **daba — el verla,** it was a joy to see her; **Dios le tenga en su —,** God rest his soul, keep him.
golpazo, *m.*, blow.

golpe, *m.*, blow; **dar un —,** to strike; **de —,** suddenly; **de — y porrazo,** bluntly and brutally.
góndola, *f.*, gondola.
González, *proper name.*
gordo, *m.*, fat man.
gordo, –a, big, fat.
gozar, to enjoy.
grabado, *m.*, engraving.
gracia, *f.*, grace; *see* **caer; no nos hacía ninguna —,** was no joke to us; **sin —,** stupid; **es una —** (*iron.*), it is very pleasant; **le hará muchísima —,** will be very becoming to you.
gracias, *f. pl.*, thanks, thank you; **— a Dios,** thank God; **— a que,** fortunately.
graciosamente, humorously, facetiously.
gracioso, –a, graceful, amusing.
gradualmente, gradually.
gramatical, grammatical.
gran, *see* **grande.**
granada, *f.*, pomegranate.
grande, large, great, big.
grandísimo, –a, very great, greatest.
grave, severe, serious.
gremio, *m.*, guild.
gresca, *f.*, quarrel.
griego, –a, Greek.
gritar, to call, cry out.
grito, *m.*, shout, cry.
grupo, *m.*, group.
guante, *m.*, glove.
guapo, –a, pretty, good-looking.
guardado, a, kept, preserved.
guardar, to keep, put (away); **— fidelidad,** to be faithful.
guardia, *m. and f.*, police, guard.
guasa, *f.*, mockery, insinuation; **en —,** mockingly.
guasón, –ona, mocking, teasing.
Guillermo, William.
guiño, *m.*, wink; **hacer —s,** to wink.
gustar, to please; **me** (**te, le,** *etc.*) **gusta,** I (you, he, *etc.*) like (it); **le gustan a morir las mujeres,** he is mad about women.
gusto, *m.*, taste, pleasure, joy; **de buen —,** in good taste; **lo muy a — que te diviertes,** how enthusiastically you amuse yourself; **el contador corre que es un —,** the meter is running merrily on.

H

haber, to have; **puede —,** there may be; **va a —,** there is going to be; **— de,** to have to, must, be (going) to.
habitación, *f.*, room.
habitante, *m.*, inhabitant.
hablar (**de**), to talk, speak, talk about, tell, say; **— con,** to talk to.
hacer, to do, make, fix, tie; **—se,** become, pretend (to be); **hace dos meses,** two months ago; *see* **gracia; caso; entrar; —se la muy modesta,** to pretend to be

very modest; — **tiempo,** to kill time; — **preguntas,** to ask questions; **hace una noche bochornosísima,** it is a very muggy night; **¿hace o no hace?** do you accept or not?
hacia, toward; — **dentro de,** into.
hache, *f.*, (*the letter*) H.
hada, *f.*, fairy.
halagar, to please, flatter.
harto, –a, satiated.
hasta, until, even, up to; — **que,** until.
hay (*from* **haber**), there is *or* are; — **que,** it is necessary, one must; **lo que — es,** the point is, the fact is; **¿qué —?** what is it? what is the matter?; **no — de qué,** don't mention it, certainly.
haz, *see* **hacer.**
hecho, *m.*, fact, act.
hecho (*past part. of* **hacer**); — **un Rokefeller,** as rich as Rockefeller; **mal —,** wrong.
helado, –a, frozen, petrified.
hereje, *m.*, heretic.
herida, *f.*, wound, injury.
herido, *m.*, wounded man.
herido, –a, wounded, injured.
herir, to wound, injure.
hermana, *f.*, sister.
hermanito, *m.*, (little) brother.
hermano, *m.*, brother.
hermoso, –a, beautiful, fine; **una —a noche,** some fine night; **¡qué noche más —a!** what a beautiful night!
héroe, *m.*, hero.
heroína, *f.*, heroine.
hervido, –a, boiled.
hija, *f.*, daughter, girl, my dear.
hijita, *f.*, child, little daughter.
hijo, *m.*, son, boy.
hilo, *m.*, thread.
hipócrita, hypocritical; *as n. m. and f.*, hypocrite.
histérico, –a, hysterical, neurotic.
historia, *f.*, history; story; *see* **pintor.**
hogar, *m.*, hearth, fireside, home.
hoja, *f.*, leaf, part.
hollar, to tread.
hombre, *m.*, man; — **de Dios,** man alive, for heaven's sake, man.
hombro, *m.*, shoulder; *see* **encoger; escurrir el —,** to shirk.
honor, *m.*, honor.
honrar, to honor.
hora, *f.*, hour, time, moment; **a estas —s,** at this time (of night).
horrendo, –a, frightful.
horrible, horrible.
horriblemente, horribly.
horrísono, –a, horrible.
horror, *m.*, horror.
horrorizado, –a, horrified.
horroroso, –a, frightful, horrible.
hoy, today.
huele, *see* **oler.**
huir, to flee, run away.
humano, –a, human.
humedecer, to dampen, moisten.

humildad, *f.*, humility.
humilde, humble, humbly.
humildemente, humbly.
humildísimo, –a, very humble.
humillación, *f.*, humiliation.
humor, *m.*, humor; **de mal —,** cross, in bad humor; **con mal —,** crossly; **tener mal —,** to be cross.
hundirse, to fall, be ruined.
huy, oh ! mercy !

I

idea, *f.*, idea.
ideal, *m.*, ideal.
idealista, idealistic.
idiota, idiotic.
ignorar, to be ignorant (of), not know.
igual, equal; **ser — a un hombre,** to be the equal of a man.
iluminar, to light, illuminate.
ilusión, *f.*, illusion, fancy; **hacerse la — que,** delude themselves (with the idea) that; **I— de Mayo,** a Maytime Idyl.
iluso, –a, deluded, deceived.
ilustrado, –a, illustrated.
ilustre, illustrious, distinguished.
imagen, *f.*, image, picture, figure.
imaginación, *f.*, imagination.
imbécil, *m. and f.*, imbecile.
imitar, to imitate.
impaciencia, *f.*, impatience, irritation; **con —,** impatiently, irritably.
impacientarse, to grow impatient.
impaciente, impatient(ly).
impedir, to prevent.
imperiosamente, imperiously.
imperioso, –a, imperious, imperative.
impertinencia, *f.*, impertinence, presumption.
impertinente, impertinent.
impertinente(s), *m.*, lorgnette.
imperturbable, imperturbable, (-bly), serene(ly).
impetuosamente, impetuously.
impide, *see* **impedir.**
implacable, uncompromising(ly).
imponer, to impose, impress (upon).
importancia, *f.*, importance.
importante, important.
importantísimo, –a, most (extremely) important.
importar, to matter, be of importance.
imposible, impossible.
impostura, *f.*, imposture.
imprenta, *f.*, press, print-shop.
impresión, *f.*, impression.
impresionable, impressionable, susceptible.
imprudencia, *f.*, imprudence.
impulsivamente, impulsively.
impunidad, *f.*, impunity.
inaudito, –a, unheard of, incredible.
incertidumbre, *f.*, uncertainty.
inclinarse, to bend down *or* stoop, lean over, bow.
incoherencia, *f.*, incoherence; **con —,** incoherently.

incomprensión, *f.*, lack of comprehension.
inconscientemente, unconsciously.
incorporarse, to sit (*or* stand) up, get up.
incorrección, *f.*, impropriety.
incorrecto, –a, incorrect, unseemly.
incorregible,incorrigible,(-bly.)
Indalecio, *proper name.*
indemnización, *f.*, reimbursement.
indernisasión, *see* **indemnización.**
indicar, to indicate, point to.
indiferencia, *f.*, indifference.
indignación, *f.*, indignation.
indignadísimo, –a, very indignant.
indignado, –a, indignant(ly).
indignar, to make indignant; **—se,** to be indignant.
indispensable, indispensable.
indudablemente, undoubtedly, clearly.
inevitable, inevitable.
infeliz, *m. and f.*, poor devil, poor fellow; **la — de las naranjas,** the poor orange girl.
infeliz, unhappy.
infelizote, –a, unhappy.
infernal, infernal.
infinitamente, infinitely.
infinito, –a, infinite, very great; *as adv.*, infinitely, very much.
influencia, *f.*, influence.
influir, to influence, have an influence.
informe, *m.*, information, data, report.
ingeniero, *m.*, engineer.
ingenioso, –a, clever.
inglés, *m.*, English, Englishman.
inglés, –esa, English.
injustificado, –a, unjustifiable.
injusto, –a, unjust.
inmediatamente, immediately, at once.
inmenso, –a, immense, great.
inmerecido, –a, undeserved.
inmóvil, motionless.
innecesario, –a, unnecessary.
innumerable, innumerable, numberless.
inocencia, *f.*, innocence.
inocente, innocent.
inocentemente, innocently.
inocentísimo, –a, very innocent.
inoportunamente, inopportunely.
insigne, illustrious.
insinuante, insinuating, ingratiating.
insistencia, *f.*, insistence.
insistir, to insist.
insolencia, *f.*, insolence; **¡ habrá — !** was there ever such insolence !
insoportable, unbearable.
inspiración, *f.*, inspiration.
inspirar, to inspire.
instante, *m.*, instant, moment.
instinto, *m.*, instinct; **por — de curiosidad,** with instinctive curiosity.
instruído, –a, (well) educated.
insultar, insult.

inteligente, intelligent.
intención, *f.*, intention, purpose, design.
intensísimo, –a, very intense, very bright *or* brilliant.
intentar, to try, attempt.
interés, *m.*, interest.
interesado, –a, interested.
interesante, interesting; **hacerse la —,** to affect an air of mystery.
interesar, to interest, be of interest (*or* importance) to; **—se por,** to be interested in.
interior, *m.*, interior; city mail.
interior, inner.
interponer, to interpose, come between, get in front.
interrumpir, to interrupt.
interrupción, *f.*, interruption.
interruptor, *m.*, switch, button.
intervenir, to intervene, break in.
intimidad, *f.*, intimacy.
intolerable, intolerable.
intrigadísimo, –a, very much puzzled.
intrigado, –a, puzzled, intrigued.
inútil, useless, unnecessary.
invencible, invincible, unconquerable.
inverosímil, improbable; **por lo — que parece,** so improbable does it appear.
invitar, to invite.
ir, to go; be; **—se,** to go (away, off); **¡ ya voy !** (**¡ voy ! ¡ allá voy !**), coming !; **ya va siendo,** it is getting; **va andando,** walks; *sometimes* = **estar,** *e.g.*, **va admirablemente vestido,** he is very well dressed; **va a acercarse,** *etc.*, is about to approach, *etc.*; **vaya** *as exclamation*, well !; **¿ quién va a ser ?** who would he be ?; **¡ vamos !** come, at last; **vamos a ver,** let's see; **van de americana,** they are in business clothes; **ya va,** he is coming.
ira, *f.*, wrath; **¡ — de Dios !** heaven help us !
Irene, Irene.
irreprochable, impeccable, faultless.
irrespirable, unbreathable.
irritante, irritating, stimulating.
izquierdo, –a, left.

J

¡ ja ! ha !
jaqueca, *f.*, headache.
jaleo, *m.*, excitement.
jardín, *m.*, garden; **los J—es,** the park of El Buen Retiro.
jarrito, *m.*, small jug.
jazmín, *m.*, jasmine.
jeringar, to annoy.
Jesús, Jesus (*as an exclamation* **¡ Jesús !** *is not profane: translate by* heavens ! *or something similar*).
jofaina, *f.*, wash-bowl.
Jorge, George; *see* **tirar.**
jota, *f.*, (*the letter*) J.
joven, *m. and f.*, young man *or* woman, boy, girl.

joven, young.
Juan, John.
Juanita, Jennie.
juego, *m.*, game.
jueves, *m.*, Thursday.
jugar, to play; **¡No juego!** I won't play!
juguete, *m.*, plaything.
juicio, *m.*, judgment; **perder el —,** to go crazy.
junco, *m.*, rush.
juntar, to put together, join, clasp; **— las letras,** to learn to spell (write, read).
junto, -a, together, close together, clasped; **— a** (*prep.*), near, next (to).
jurado, sworn; **¿—?** do you swear it? **¡¡—!!** I swear it!
justificadísimo, -a, perfectly, justified.
justo, -a, just, right, proper.
juzgar, to judge.

K

kimono, *m.*, kimono.

L

la, the; (*pron.*) (to *or* for) her, you, it; **— que,** she who, the one which; **— de,** that of, she who, the one of.
labor, *f.*, work, fancywork.
lado, *m.*, side; **mirar de un — para otro,** to look all about; **a todos —s,** all around, in all directions.
ladrón, *m.*, thief.
lágrima, *f.*, tear.
lamentable, lamentable, mournful.
lamentar, to regret.
lámpara, *f.*, lamp, light.
lamparilla, *f.*, small lamp, night-taper; **echar las —s,** to light the lamps.
lana, *f.*, wool; *see* **perro.**
lanzar, to throw, carry, utter; **—se,** to rush, run, dare.
las, the; (*pron.*) them; **— de,** those of; **— que,** those who (*or* which).
lástima, *f.*, pity; **dar —,** to inspire pity; **casi me dan —,** I am almost sorry for them; **me daba —,** it made me feel bad.
lastimosamente, pitifully, tenderly, sadly.
laurel, *m.*, laurel, honor.
lavanda, *f.*, lavender.
lavar, to wash, bathe.
lazo, *m.*, knot, bow, noose, snare, trap.
le, him, you, it, to him, to her, to you.
leal, loyal, honest.
lealmente, loyally, honestly.
lealtad, *f.*, loyalty, faithfulness.
lectora, *f.*, reader.
leer, to read.
lejos, far, far away; **de —,** from a distance.
lengua, *f.*, language; *see* **pelo.**
lento, -a, slow.
león, *m.*, lion.
leona, *f.*, lioness; fond of reading (*the word is not properly used in this sense*).

les, them, you, to them, to you, for them, *etc.*
letra, *f.*, handwriting.
levantado, –a, up (*out of bed*).
levantar, raise; **—se,** rise, come up, get up; **al —se el telón,** when the curtain rises.
leve, slight, light.
levemente, slightly.
ley, *f.*, law.
leyendo, *see* **leer.**
libertad, *f.*, liberty.
librar, to free.
libre, free, open.
librea, *f.*, livery; **con —,** in livery.
libremente, freely.
libro, *m.*, book.
licencia, *f.*, license.
liebre, *f.*, hare.
ligeramente, slightly, lightly, quickly.
límite, *m.*, limit; **sin —s,** everlasting.
limosnita, *f.*, alms; **hacías una —,** you would show a little favor.
limpiar, to clean, brush, wipe, dry (*the eyes*).
limpio, –a, clean, neat; **en —,** arranged in order, copied.
lirismo, *m.*, lyricism; **con —,** poetically.
literario, –a, literary.
literato, –a, literary.
literatura, *f.*, literature.
lo, the, it, how, so; **— que,** that which, what; *as adv.*, how much; **— que hay,** the fact (point) is; **de — que,** than; **— de . . .,** the matter of . . .; **— que es si fuera yo,** what I would do if it were I (*would be . . .*); **— que es,** as for.
loco, –a, crazy; **— de atar,** raving mad; **volverse —,** to go mad.
lógica, *f.*, logic.
lograr, to attain, obtain, get, reach.
los, the; (*pron.*) them; **— de,** those of, the ones of; **— que,** those who, the ones who.
luchar, to struggle, fight.
luego, soon, presently, then, later; **desde —,** at once, of course, to be sure.
Luis, Louis.
luna, *f.*, moon, moonlight; *see* **noche.**
lustro, *m.*, lustrum, period of five years.
luz, *f.*, light; *see* **dar.**

Ll

llamar, to call, knock, ring; **¿ cómo se llama Ud.?** what is your name?
llanto, *m.*, weeping, tears.
llavín, *m.*, latch-key.
llegar, to come, arrive, be in time; **— a (ser) ricos,** become rich; **todo llegará,** everything will come in time; **no llegó a venir,** never came; **— a tiempo,** to be in time; **al — él,** when he comes (up); **— a hacerse la ilusión,** to succeed in deluding oneself.
llenar, to fill, fulfill.

lleno, –a, full, filled, covered with.
Llerena, *proper name.*
llevar, to carry, take, wear, hold, be, bear; **—se,** to take away; raise, lift; *see* **suelto**; **— una sorpresa,** to have a surprise.
llorar, to weep, cry.
llover, to rain.
lluvia, *f.*, rain.

M

Madame Pompadour (1721–1764) (*favorite of Louis XV; famous for her style of dress*); **vestirse de —,** to dress in eighteenth century French costume.
madrastra, *f.*, step-mother; *as adj.*, cruel.
madre, *f.*, mother.
madrina, *f.*, godmother.
madrugá, *see* **madrugada.**
madrugada, *f.*, (early) morning.
madrugar, to get up early.
Magdalena, Magdalene.
magnificencia, *f.*, magnificence.
mal, bad(ly), wrong(ly), ill.
maldición, *f.*, curse.
malicia, *f.*, malice, mischief; **con —,** mischievously.
maliciosamente, slyly, maliciously.
malicioso, –a, malicious, mischievous.
malo, –a, bad; *see* **agua**; **no es lo — que,** the worst (of it) is not that, *etc.*
mamarracho, *m.*, clown, "book."
mandar, to command, order, tell, compel, send; **mande usted,** what is it? what do you wish?
manera, *f.*, manner, way, means; **de ninguna —,** by no means, not for anything; **de todas —s,** at all events.
manga, *f.*, sleeve.
manía, *f.*, mania, fad.
mano, *f.*, hand; **a —s llenas,** by handfuls.
mantener, to support.
mantón, *m.*, shawl.
mañana, *f.*, morning.
mañana, *adv.*, tomorrow; **— mismo,** no later than tomorrow.
máquina, *f.*, machine; **— de escribir,** typewriter.
maravilloso, –a, marvellous.
marcadísimo, –a, very marked, strong.
marco, *m.*, frame.
marcha, *f.*, march, departure.
marchar, march; "work," function; **—se,** to go (away) be off, go out.
mareo, *m.*, nausea.
Marianito, (*dim. of* **Mariano**).
Mariano, *proper name.*
María Pepa, Mary Josie; (**Pepa** *is a familiar form of* **Josefa** = Josephine).
maridito, *m.*, husband.
marido, *m.*, husband.
Mario, Marius.
más, more, most, any more; **de —,** extra; **nadie —,** any

one but; **no — que,** only, nothing but; **— bien,** rather.
mastuerzo, *m.*, simpleton; **el muy —,** the big idiot.
matar, to kill.
matemático, –a, mathematical, accurate.
maternalmente, maternally.
matiz, *m.*, nuance, change of tone.
matrimonio, *m.*, marriage.
mayo, *m.*, May, May-time.
mayor, greater, older; **el (la) —,** greatest; **— de edad,** of age; **— parte,** majority, most.
me, me, to (*or* for) me.
mecanógrafo, –a, typist; *see* **secretario; mesa de —,** typewriter-table.
mechón, *m.*, lock (*of hair*).
media, *f.*, stocking.
medida, *f.*, measure; **a — que,** as, while.
Medina, (*the surname of* Don Juan).
medio, *m.*, way, means, milieu, surroundings, middle.
medio, –a, half (a) semi-; *see* **poner; a —as,** half, half-way, equally, in partnership; *as adv.*, half.
meditar, to meditate, think.
mejilla, *f.*, cheek.
mejor, better; **lo —,** the best.
melena, *f.*, mane.
melindre, *m.*, shyness, coyness.
melisa, *f.*, balm; **agua de —,** balm-water.
menor, less; **el (la) —,** least.
menos, less, least; **— mal,** not so bad, that's something; **lo —,** at least; **al —,** at least; **por lo —,** at least.
mentir, to lie.
mentira, *f.*, lie; **parece —,** it seems impossible (incredible); **todas las novelas son —,** all novels are false.
menudo, –a, small; **¡—a catástrofe!** (*iron.*), terrible calamity.
merecer, to deserve, live up to.
meridiana, *f.*, couch.
mes, *m.*, month.
mesa, *f.*, table; **— para escribir,** writing-table; **— de la máquina,** typewriter-table; **— escritorio,** writing-table.
mesita, *f.*, small table, stand.
meté, *see* **meter.**
meter, to put, place; **—se (a)** become, get; *see* **cama; cintura; ¿dónde te metiste?** where did you go? what became of you?
mi, my.
mí, me, myself.
miedo, *m.*, fear; **dar —,** frighten; see **entrar; tener — (a** *or* **de),** to fear, be afraid (of).
mientras, while.
mil, thousand; **las — (y quinientas)** (*lit.* fifteen hundred), at all hours of the night.
militar, *m.*, soldier (*generally an officer*).
millón, *m.*, million.
millonario, *m.*, millionaire.

mimado, –a, spoiled.
mimoso, –a, gentle, affectionate.
mintiendo, *see* **mentir.**
minuciosamente, carefully.
minuto, *m.*, minute.
mío, –a, my, mine, my own, of mine.
mirada, *f.*, glance.
miramiento, *m.*, consideration.
mirar, to look (at *or* about), watch; **¡ mira !** look (here) ! see (here) !; *see* **lado.**
miriñaque, *m.*, crinoline.
misa, *f.*, mass.
miserable, wretched; *as noun*, *m.*, wretch.
misión, *f.*, mission, duty.
mismísimo, –a, very, very same.
mismo, –a, self, same, very; **lo —,** the same, equally, just as; **él —,** (he) himself; **por lo —,** for that very reason; **el —,** the very one.
misterio, *m.*, mystery; **con —,** mysteriously.
misterioso, –a, mysterious.
mitá, *see* **mitad.**
mitad, *f.*, half, middle; **la — que,** half as much as; **se queda a — de camino y de sonrisa,** she stops half-way and interrupts her smile.
moda, *f.*, fashion, mode; **de —,** fashionable; *see* **pasado.**
modelo, –a, model.
modelo, *m. and f.*, model.
modernísimo, –a, very modern.
moderno, –a, modern.
modestamente, modestly.
modestia, *f.*, modesty; **con —,** modestly.
modesto, –a, modest, simple; *see* **hacer.**
modisto, *m.*, modiste.
modo, *m.*, way, manner; **de — que,** so that; *see* **tal; de todos —s,** at all events, anyway; **de ningún —,** by no means.
mohín, *m.*, grimace.
mojado, –a, moist, damp.
molestar, to annoy, trouble; **si no te molesta,** if you don't mind.
molestia, *f.*, annoyance, trouble.
molesto, –a, annoying, impertinent, annoyed.
momento, *m.*, moment, second.
monstruo, *m.*, monster.
montón, *m.*, pile, heap, crowd.
moral, moral.
morder, to bite; **— las palabras,** to speak sharply *or* vindictively, to hiss the words.
morir, to die; **—se,** to die; **a —,** desperately, madly.
mortificado, –a, mortified, vexed.
mortificar, to mortify.
mosca, *f.*, fly.
mostrar, to show.
motivar, to cause, motivate.
motivo, *m.*, motive, reason, cause.
mover, to move; **—se,** move.
movimiento, *m.*, movement.
mozo, *m.*, youth, young man;

buen —, handsome, fine-looking.
muchacha, *f.*, girl.
muchacho, *m.*, boy.
muchísimo, –a, very much; *pl.* many; — **respeto,** the greatest respect.
muchito, very much.
mucho, –a, much, a great deal (of), very much; *pl.* many; *adv.* much, a great deal; **un —,** much, very much; **abrir —,** to open wide.
mudar, to change.
muerte, *f.*, death; **de —,** fatal.
muerto, –a (*past part. of* **morir**), dead, dying; **—a de sueño,** dead with sleep.
muestra, *f.*, sign, indication.
mujé, *see* **mujer.**
mujer, *f.*, woman.
mujercita, *f.*, little woman, wife.
mujeril, feminine.
mundo, *m.*, world, society, people; **todo el —,** everybody; **en este —,** on this side (*of the ocean*); **salir por el —,** to go out into the world.
muñeco, –a, like a doll.
muy, very, much, big; *see* **pesar.**

N

nacer, to be born.
nada, nothing, (not) anything, not at all; **¡ — !** gosh! darn! pshaw! no use!; **para —,** at all; **por —,** for no reason at all.
nadie, no one, nobody, (not) anyone.
naranja, *f.*, orange; *see* **infeliz.**
nardo, *m.*, spikenard (*a plant of strong odor frequently used in hair oils*).
natural, natural.
naturaleza, *f.*, nature.
naturalidad, *f.*, naturalness; **con —,** calmly, in a matter-of-fact tone.
naturalmente, naturally.
necesario, –a, necessary; **todo lo —,** whatever he needs.
necesidad, *f.*, necessity, need.
necesitar, to need (to).
negar, to deny, refuse.
negativamente, negatively.
negocio, *m.*, business.
negro, *m.*, negro.
negro, –a, black, deep.
nervio, *m.*, nerve.
nerviosidad, *f.*, nervousness.
nerviosísimo, –a, very nervous(ly).
nerviosismo, *m.*, nervousness.
nervioso, –a, nervous(ly), excited(ly).
ni, neither, nor, or, (not) even.
nieto, *m.*, grandson.
Nijinki, Nijinsky, (*a Russian dancer*).
ningún, *see* **ninguno**
ninguno, –a, no, not any, no one.
niña, *f.*, child, girl.
niñez, *f.*, childhood.
niño, *m.*, boy, child.
niño, –a, childlike, boyish, girlish.

no, no, not; **¿ —?** doesn't it? isn't it? *etc.*
noble, noble.
nocturno, –a, nocturnal.
noche, *f.*, night; **esta —,** tonight; **buenas —s,** good night; **todas las —s,** every night; **por la —,** at night; **hacía una — deliciosa,** it was a beautiful night; **— de luna,** moonlight night; **de —,** night, at night.
nombre, *m.*, name, Christian name.
normal, normal.
nos, us, to us, each other.
nosotros, –as, we, us.
nota, *f.*, note.
notar, to notice, note.
novela, *f.*, novel; **— cómica,** comedy.
novelista, *m.*, novelist.
noventa, ninety.
novia, *f.*, sweetheart.
noviembre, *m.*, November.
novio, *m.*, lover, suitor, husband; **ser — de Usted,** to be engaged to you.
nube, *f.*, cloud.
nudo, *m.*, knot.
nuestro, –a, our, ours, of ours.
nueve, nine.
nuevo, –a, new.
numerar, to number; **sin —,** unnumbered, not numbered.
nunca, never.
nuncio, *m.*, herald, envoy.
nupcias, *f. pl.*, nuptials; **casada en terceras —,** married for the third time.

O

o, or.
objeto, *m.*, object.
obligación, *f.*, duty.
obligado, –a, obliged, compelled.
obligar, to compel, oblige, force.
obra, *f.*, work.
obscuridad, *f.*, darkness.
obscuro, –a, dark; **a —as,** dark, in the dark.
observación, *f.*, remark.
obstinadamente, obstinately.
ocasión, *f.*, occasion.
ocupado, –a, busy, occupied.
ocuparse (de), to concern oneself (with), attend to.
ocurrir, occur; **—se,** occur; **¿ a quién se le ocurre?** who would ever think?; **se le ocurría mirar,** he took a notion to look at.
ocho, eight.
Ochoa, *proper name.*
odio, *m.*, hatred, loathing, abhorrence.
ofender, to offend; **—se,** to take offense, be offended.
ofendidísimo, –a, very much offended.
ofendido, –a, offended; **hacerse la —a,** to pretend to be offended.
oficial, official.
oficialmente, officially, in due form.
oficio, *m.*, office; **fuera de —,** in a private capacity.

ofrecer, offer, give (to).
oír, to hear; **al —selas a sí misma,** on hearing herself say them.
¡ ojalá ! would that, I wish *or* hope (*the idea of some preceding word is repeated with the wish,* e.g. **¿ Tú no sales hoy ?; ¡ Ojalá !** Aren't you going out today ? I wish I were not.).
ojo, *m.*, eye; **costar un — de la cara,** to cost a lot, cost very dear.
oler, to smell, scent, catch; **huele bien,** it smells good; **— a,** to smell of.
olímpico, –a, olympic, haughty.
olor, *m.*, odor, perfume.
olvidar, to forget; **—se,** to forget.
once, eleven; **las —,** eleven (o'clock).
opinión, *f.*, opinion, public opinion.
opuesto, –a, opposite.
orden, *m. and f.*, order; **con —,** carefully, in an orderly way.
ordenado, –a, in order, orderly, put to rights.
ordenar, to arrange, order.
oreja, *f.*, ear; *see* **tirar.**
orgánico, –a, organic.
orgulloso, –a, proud.
original, *m.*, original.
orilla, *f.*, bank, shore.
oro, *m.*, gold.
os, you, to you.
otro, –a, other, another, the other.

P

paciencia, *f.*, patience.
Paco (*fam. of* **Francisco**), Frank.
padecer, to suffer.
pagar, to pay (for); *see* **cuerpo.**
página, *f.*, page.
Paix *f.* (*French*), *see* **rue.**
paja, *f.*, straw.
pájaro, *m.*, bird.
palabra, *f.*, word; **¿ — ?** word of honor ? honestly ?
palmada, *f.*, slap; **se da una —,** slaps himself; **dar una —,** to slap.
palpitante, palpitating.
pamema, *f.*, pretense; **hacer —s,** to pretend.
pan, *m.*, bread, living; **con tu — te lo comas,** that's your affair, that's " up to you."
pantalla, *f.*, shade.
pañolón, *m.*, square shawl.
pañuelo, *m.*, handkerchief.
paparrucha, *f.*, trash.
papel, *m.*, paper; **un — de cartas,** a sheet of letter-paper; **— de escribir,** writing-paper; **—es rotos,** waste paper.
papelito, *m.*, (little) paper, note.
papillote, *m.* (*French*), curl-paper; **cogerte los —s,** to put up your hair in curl-papers.
par, *m.*, pair, couple, two.
para, for, in order to, to; **— que,** in order that; **¿ — qué ?** what for ? why ?; **no hay — qué,** there is no use.

paraguas, *m.*, umbrella.
paraíso, *m.*, paradise.
pararse, to stop.
parásito, *m.*, parasite.
parecer, to seem, appear, resemble; **¿ qué te parecería ?** what would you think of that ?; **como me parece,** as I like; **si a usted le parece,** if you think best; **me parecía conocer,** I seemed to recognize; **parecen de cera,** they seem to be made of wax; **al —,** apparently; **parece que sí (no),** it seems so (not); **me parece que sí (no),** I think so (not); **si te parece,** if you think best.
parecido, -a, like; **muy —a** (*of a picture*), a very good likeness.
pared, *f.*, wall.
parejita, *f.*, couple, fine couple.
parese = parece.
parquet, *m.* (*French*), parquetry, inlaid wood floor.
párrafo, *m.*, paragraph.
parte, *f.*, part; **en todas —s,** everywhere, in everything; **por otra —,** for that matter; **dar —,** to report.
participación, *f.*, share.
particular, private.
partido, *m.*, success.
pasado, -a, past; **—s de moda,** cast off, out of fashion; **la noche —a,** last night.
pasar, to pass, happen; endure, lead, come in, pass out, rub; **¿ qué pasa ?** what's the matter ?; **— las penas,** to forget one's troubles; **— la mano por el pelo,** to stroke one's hair; **hacer — lo suyo (nuestro),** to give (make) trouble; **que usted lo pase bien,** good-bye, good-luck to you; **¿ qué me va a — ?** what could be the matter ?
Pascuas, *f. pl.*, Easter; **y Santas —,** and that's all there is to it.
pasear(se), to walk, stroll, take a walk, walk up and down; **—se en coche,** to ride in a carriage.
paseíto, *m.*, (little) walk.
paseo, *m.*, public promenade, walk.
pasillo, *m.*, corridor, hall-way.
pasión, *f.*, passion, love.
paso, *m.*, step, foot-step, pace, egress, exit, way; **de —,** at the same time; **dar — a,** open into, give access to; **¡ — !** let me go ! let me out !
pata, *f.*, foot; **andar a la — coja,** to hop on one foot.
patadita, *f.*, stamp (*of the foot*); **dar —s,** to stamp.
patalear, to stamp (one's feet).
paternal, paternal.
patético, -a, pathetic(ally).
patita, *f.*; **poner de —s en la calle,** to throw out (*into the street*), dismiss, discharge.
pausa, *f.*, pause.
paz (*pl.* **paces**), *f.*, peace; **hacer las paces,** to make peace.
pecar, to sin, misbehave, do wrong.
pecera, *f.*, fish-bowl *or* globe.

pécora, *f.*, sinner.
pecho, *m.*, breast, bosom, front of a dress, heart.
pedazo, *m.*, piece.
pedir, to ask (for).
Pedro, Peter; **como — por su casa,** as if at home.
peina, *f.*, high comb.
peine, *m.*, comb.
peligroso, –a, dangerous.
pelindrusca, *f.* (*word not in the dictionaries*), hussy, baggage.
pelmaso, *see* **pelmazo.**
pelmazo, *m.*, slow *or* stupid person, fool.
pelo, *m.*, hair; *see* **pasar; a —,** bareheaded; **— de aire,** breath of air; **tener —s en la lengua,** to restrain one's speech, be moderate in speech; **tomar el —,** to deceive.
pena, *f.*, trouble, sorrow; **valer la —,** to be worth while.
pendiente, hanging, unsettled.
pensamiento, *m.*, thought.
pensar, to think, plan, intend; **— en,** to think of; **lo piensa mejor,** thinks better of it.
pensativo, –a, thoughtful, absorbed (in thought).
peor, worse, worst; **— que —,** worse and worse.
Pepe (*familiar form of* **José**), Joe.
Pepito, Joe.
pequeño, –a, little, small.
percollar (*popular word*), to cut one's throat.
perder, to lose, waste, ruin, destroy.
pérdida, *f.*, loss.
perdido, –a, lost.
perdón, *m.*, pardon.
perdonar, to pardon; **Dios le haya perdonado,** may God rest his soul (*forgive him*); **usted perdone,** pardon me.
Pérez Escrich, *proper name;* **Enrique —,** a Spanish novelist, 1829–1897. His heroines are usually models of the bourgeois virtues.
pereza, *f.*, laziness; **me da —,** I'm too lazy, it's too much of an effort.
perezosamente, lazily, idly, aimlessly.
perfección, *f.*, perfection.
perfectamente, perfectly.
perfecto, –a, perfect, complete.
perfumado, –a, fragrant.
periódico, *m.*, newspaper, periodical.
perlequeque, *m.*, nervous attack (?) (*word apparently coined by María Pepa*); **darse —s,** to have nervous attacks.
permiso, *m.*, permission.
permitir, to permit, allow.
pero, but.
perplejo, –a, perplexed, puzzled.
perrería, *f.*; **hablar —s,** to speak scandalously.
perro, *m.*, dog; **— de lanas,** shaggy dog, poodle.
persecución, *f.*, persecution.
perseguir, to pursue, persecute.
persistencia, *f.*, persistence, pertinacity.

persona, *f.*, person; **—s,** persons, people; **como las —s,** like a human being.
personaje, *m.*, character.
personalmente, personally.
pertenecer, to belong, be one of.
pesar, *m.*, grief; **a — de,** in spite of; **a — suyo,** in spite of herself; **muy a — mío,** much to my regret.
pesar, to weigh.
pescar, to catch.
pez (*pl.* **peces**), *m.*, fish; **peces de colores,** gold-fish.
piadoso, –a, kindly, merciful.
picaporte, *m.*, latch.
pícaro, –a, rascally, wretched, miserable.
pico, *m.*, end, corner, point (*of lace*).
pide, *see* **pedir.**
pie, *m.*, foot; **en —,** standing; *see* **poner.**
piececito, *m.*, little foot.
pintamonas, *m.*, dauber.
pintar, to paint.
pintor, *m.*, painter; **— de historia,** painter of historical pictures.
pirueta, *f.*, pirouette.
pisapapeles, *m.*, paper-weight.
pisar, to step, tread (on); **— el suelo de la calle,** to put her foot to the ground.
piso, *m.*, story, floor; **— bajo,** ground floor.
placer, *m.*, pleasure.
planta, *f.*, sole (*of the foot*).
plantá, *see* **plantado.**
plantado, –a, standing, (left) alone.
plata, *f.*, silver; **hablar en —,** to speak plainly.
plato, *m.*, plate.
plaza, *f.*, place.
pleno, –a, full.
pliego, *m.*, sheet (*of paper*).
plieguecillo, *m.*, sheet.
pluma, *f.*, pen.
pobre, poor; **el —,** the poor man.
pobrecillo, –a, poor fellow, poor dear, poor thing.
poco, –a, little; **—s,** few, not many.
poco, little, small; **— a —,** gradually, little by little; **un —,** slightly; **un — de,** a little; (*before an adj.* **poco** *is often translated* "un–" e.g., **— justo,** unjust).
poder, *m.*, power; **en — de,** in the hands of.
poder, to be able, can, may; **puede que,** it may be (that); *see* **haber; como puede,** as best she can; **no puede ser,** impossible, it can't be.
poesía, *f.*, poetry, poem.
poeta, *m.*, poet.
poético, –a, poetical.
Polar, polar (*see* **Estrellita**).
policía, *f.*, police.
política, *f.*, politics.
polvo, *m.*, dust, powder; **darse —s,** to powder one's face.
Pompadour, *see* **Madame Pompadour.**
poner, to put (in), place, write; **—se,** to become, make, appear, put on, pretend to be; **— casa,** set up housekeeping;

qué casa vamos a —, what a (fine) house we are going to have; **cómo se pondría,** what a state he would be in; **a medio —**, half on; **—se en pie,** to stand (up); **— una cara,** to assume an expression; **— un anuncio,** to insert an advertisement; *see* **corriente**; **—se a,** to start to, begin; **ponte contra ti misma,** turn against yourself.

popeline *f.* (*French = Spanish* **popelina**), poplin.

poquito, –a, little.

por, for, through, by, on, out of, at, upon, around, because, on account of, in favor of; **— la calle,** up *or* down the street; **— mí,** as far as I am concerned, on my account; **— . . . que,** however.

porcelana, *f.*, porcelain.

porque, because.

¿ por qué ? (por qué), why ? why; **no hay — ofenderse,** there is no reason to be offended.

porrazo, *m.*, blow with a club; *see* **golpe.**

portal, *m.*, doorway.

portátil, portable, movable; **un —,** *m.*, a movable electric lamp.

portazo, *m.*, slam (*of a door*).

portero, *m.*, porter, janitor.

posesión, *f.*, possession.

posible, possible.

posición, *f.*, position.

póstumo, –a, posthumous.

poyo, *m.*, seat.

precaución, *f.*, precaution, care; **con —,** cautiously.

precio, *m.*, price, value.

precioso, –a, lovely; my dear; precious, beautiful.

precipitadamente, hastily, hurriedly.

precipitado, –a, hurried, hasty

precipitarse, to throw oneself, rush.

precisamente, precisely, just, exactly; **— el día,** the very day.

precursor, *m.*, forerunner, precursor.

preferente, preferential, first.

preferido, –a, favorite.

preferir, to prefer.

pregunta, *f.*, question.

preguntar, to ask.

prematuro, –a, premature.

preocupación, *f.*, scruple, precaution.

preparado, –a, ready, prepared.

preparar, to prepare.

preparativo, *m.*, preparation.

presencia, *f.*, presence.

presentación, *f.*, introduction.

presentar, to present, introduce; **—se,** to present oneself, appear.

presente, present.

presidio, *m.*, jail.

presiosa, *see* **precioso.**

presumir, to pretend (to be).

pretender, to seek, apply for.

pretensión, *f.*, pretention, pretense.

pretexto, *m.*, pretext, excuse.

primer, *see* **primero.**

primero, –a, first; *as pron.*, first (one).
primorosísimo, –a, very attractive.
primoroso, –a, pretty, attractive.
princesa, *f.*, princess.
principal, principal, chief.
principio, *m.*, beginning; **al —,** in the beginning.
prisa, *f.*, haste; **de —,** rapidly, quickly; **a toda —,** swiftly, rapidly; **todo lo de — que desearía,** as quickly as he would like.
privar, to deprive.
privilegio, *m.*, privilege.
probable, probable.
probablemente, probably.
procurar, to try, procure.
producir, to produce, cause.
profético, –a, prophetic.
profundamente, deeply, profoundly.
profundísimo, –a, very deep, very profound.
profundo, –a, profound, deep.
prohibir, to forbid, prohibit.
prometer, to promise.
pronto, suddenly, soon, at once; **de —,** suddenly, abruptly.
pronunciado, –a, pronounced, uttered.
pronunciar, to pronounce.
propio, –a, own, right, proper.
proporcionar, to provide, furnish.
proposición, *f.*, proposition.
propósito, *m.*, purpose; **a — de amigos,** speaking of friends.
prosa, *f.*, prose.
prosaico, –a, prosaic, commonplace.
proseguir, to continue, go on (with).
protesta, *f.*, protest; **con —,** in protest.
protestar, to protest.
Prudencio, *proper name* (*meaning* prudence).
prueba, *f.*, proof.
¡ pts ! (*exclamation of disgust, etc.*).
publicar, to publish.
público, *m.*, public.
pucherito, *m.*, small kettle; **poner su — aparte,** to have a separate establishment, pay for one's own food.
pudor, *m.*, modesty.
puerta, *f.*, door.
pues, well, then.
puesto, *m.*, place; **— que,** since, although.
pulcramente, neatly, nicely.
punta, *f.*, end.
puntilla, *f.*; **a —s,** on tiptoe.
punto, *m.*, point; **a — fijo,** exactly; *see* **vista.**
puntuación, *f.*, punctuation.
puntualmente, punctually.
puntuasión, *see* **puntuación.**
puñetazo, *m.*, fisticuff.
puño, *m.*, fist.
purgatorio, *m.*, purgatory.
puro, –a, pure.

Q

que (*pron.*) which, who, whom, that; **buscando con — defenderse,** looking for something with which to defend herself; (*conj.*) that, since, for, as, than, or, but; **a —,** until, in order to.

¡ qué ! (¿ qué ?), what (a), how; **bien ¿ y — ?** well, what of it ?; **a —,** why.

quedar, to remain, be left, be; **—se,** to remain, stand, stop; **nos quedaría,** we should have left; **¿ en qué quedamos ?** what is the decision ?

quejar, to complain; **—se,** to complain.

querer, to wish, want, like, love, try, expect, think; **— decir,** to mean; **sin —,** unintentionally.

querido, –a, dear.

quien, who, whom, he who, (the) one who, anyone who, whoever.

¿ quién ? who ? whom ?

química, *f.*, chemistry.

quinientos, –as, five hundred.

quitar, to remove, take (off), destroy, diminish, take away; **—se,** to take off, get out, remove oneself; **—se la palabra,** to interrupt each other; **no quita para que sea,** does not prevent its being.

R

rabia, *f.*, (fit of) rage, hatred; **le tenía una — tremenda,** he hated it terribly.

rabiar, to rage, be furious.

rabieta, *f.*, impatience, ill-humor.

rabioso, –a, furious(ly).

racional, rational, sensible.

ramo, *m.*, bunch, bouquet.

rancio, –a, old, *passé*.

rápidamente, quickly, rapidly.

rapidez, *f.*, rapidity.

rapidísimamente, very swiftly.

rapidísimo, –a, (very) quick.

rápido, –a, rapid, swift, quick.

raptar, to abduct.

rasón, *see* **razón.**

ratito, *m.*, some little time; **tardar un —,** to be some little time in coming.

rato, *m.*, while, (short) time; **nos dará el —,** she will give us a bad time.

razón, *f.*, reason, excuse, argument; **tener —,** to be right.

real, real, actual.

realidad, *f.*, reality.

realmente, really.

rebajarse, to descend, stoop.

recado, *m.*, message.

recalcar, to emphasize.

recelo, *m.*, suspicion.

recibir, to receive.

reclamar, to claim.

recobrar, to recover, regain.

recoger, to collect, gather up, pick up.

recomendación, *f.*, recommendation.

reconciliar, to reconcile; **—se,** to be reconciled.

reconvención, *f.*, reproof.

recordar, to remind, remember; **no recordaba,** I was forgetting.

recrearse, to amuse oneself, enjoy oneself.

recuerdo, *m.*, remembrance; *pl.* regards, memories.
redimir, to redeem.
redondo, –a, round.
refajo, *m.*, underskirt.
refinamiento, *m.*, refinement.
reflexionar, to reflect.
reflexivo, –a, thoughtful(ly).
refrescar, to grow cool, cool off.
refunfuñar, to grumble, mutter.
regalar, *m.*, to give, present.
regalito, *m.*, gift, present.
regaño, *m.*, scolding.
registrar, to examine, search.
regla, *f.*, rule; — **de tres,** rule of three (*a rule for finding the fourth term of a proportion when three are given*).
reír, to laugh; —**se (de),** to laugh (at).
relación, *f.*, relation.
relámpago, *m.*, (flash of) lightning.
reloj, *m.*, clock, watch; — **de pared,** clock (*hung on a wall*).
relojito, *m.*, little clock.
rematadamente, extremely.
remate, *m.*, end.
remediar, to correct.
remedio, *m.*, help, remedy; **no hay más** —, there is no help for it.
rencor, *m.*, resentment.
rencoroso, –a, bitter, resentful.
rendido, –a, worn-out.
renovado, –a, renewed.
renovar, to renew, resume.
renunciar, to renounce, give up, resign.
reñir, to scold, reprove.
reojo, *m.*; **mirar de** —, to look out of the corner of one's eye.
reparar (en), to notice, heed, care about.
reparo, *m.*, misgivings, hesitation; **le da a usted** —, you hesitate, you are afraid.
reparto, *m.*, cast (*of characters*).
repente; de —, suddenly.
repetir, to repeat.
repitiendo, *see* **repetir.**
reproche, *m.*, reproach.
repugnante, repugnant.
resignación, *f.*, resignation.
resignar, to resign.
resorte, *m.*, spring; **como por** —, like a jumping-jack.
respetable, respectable.
respeto, *m.*, respect.
respetuosamente, respectfully.
respetuosísimamente, very respectfully.
respetuoso, –a, respectful(ly).
respingo, *m.*, jerk, jump, bound; **levantarse de un** —, to bob up.
respirar, to breathe (in).
responder, to reply, respond.
responsabilidad, *f.*, responsibility.
respuesta, *f.*, reply, return.
restañar, to stanch.
resto, *m.*, rest, remainder.
resucitar, to revive, come back (*to life*).
resueltamente, resolutely.
resuelto, –a (*past part. of* **resolver**), determined(ly), resolute(ly).
resultar, to result, turn out.

retintín, *m.*, jingle; **con —,** sarcastically.
retirarse, to withdraw, retire, go away.
retratado, –a, pictured; **aquí está —a,** here is her picture.
retratarse, to have one's picture taken.
retrato, *m.*, portrait, picture.
retroceder, to draw back.
revelación, *f.*, revelation.
reverencia, *f.*, bow.
revista, *f.*, periodical, review, magazine.
revolver, to turn over, mix up, upset, disarrange.
rezar, to pray; **— el rosario,** to say one's beads.
rico, –a, rich, lovely, beautiful.
ridículo, –a, ridiculous.
ríe, *see* **reír.**
riesgo, *m.*, risk.
riñe, *see* **reñir.**
río, *m.*, river.
robar, to steal.
rodar, to roll, fall.
rodilla, *f.*, knee; **de —s,** on one's knees.
rogar, to beg, ask.
Rokefeller, John D. Rockefeller (*American multi-millionaire. His name is used all over the world as a synonym of enormous wealth*).
románticamente, romantically.
romántico, –a, romantic.
romper, to break, break out, tear (up); **—se los cascos,** to split one's head (brain); **— a llorar,** to burst out crying.
ropa, *f.*, clothes, clothing.
rosa, *f.*, rose.
rosario, *m.*, rosary; *see* **rezar.**
Rosario, *proper name.*
Rosarito (*dim. of* **Rosario**).
roto, –a (*past part. of* **romper**), broken, torn.
rubio, –a, blond, fair, light (*colored*).
rubor, *m.*, embarrassment.
ruboroso, –a, embarrassed.
rue *f.* (*French*), street; **— de la Paix** (*a street of fashionable shops in Paris*).
ruido, *m.*, noise, sound.
ruidosamente, noisily, boisterously.

S

saber, to know (how), understand.
saborear, to turn over on the tongue, repeat with enjoyment.
sacar, to take out, scratch out, get out; **— los pies de las alforjas,** to get out of hand, become unmanageable.
sacrificio, *m.*, sacrifice.
sacrilegio, *m.*, sacrilege.
sacudir, to shake, fan.
sagrá, *see* **sagrado.**
sagrado, –a, sacred.
salero, *m.*, gracefulness, animation.
salir, to go (*or* come) out, leave, turn out, become; *see* **cuenta; hacer —,** to send out; **— mal,** fail, flunk.
Salomón, Solomon.

saltar, to jump (up, in, out, *etc.*).
salto, *m.*, leap, jump; **de un —,** with a start, suddenly.
saludar, to greet, speak (to someone).
saludo, *m.*, bow, salutation.
salvar, to save, keep safe.
sangre, *f.*, blood.
San Pedro, Saint Peter; *see* **allá.**
Santander, Santander (*the capital of the province of the same name and the see of a bishop; it is an important seaport and summer resort on the northern coast of Spain*).
santiguarse, to cross oneself.
santísimo, –a, most (very) holy, blessed.
santo, –a, holy, blessed; *see* **Pascuas.**
santo, *m.*, saint; **día del —,** Saint's-day (*the day sacred to the saint for whom one is named is usually celebrated in Spain as is the birthday in America*).
sarcástico, –a, sarcastic.
sastre, *m.*, tailor; (*of a suit*) tailored.
satélite, *m.*, satelite, dependent.
satisfacción, *f.*, satisfaction.
satisfechísimo, –a, very well satisfied.
satisfecho, –a, satisfied, with satisfaction.
se, himself, herself, yourself, oneself, itself, themselves, each other, one another; (*replacing* **le, les,** *before another third person pronoun*), to him, her, *etc.*
secamente, dryly, curtly.
secante, *m.*, blotter.
secar, to dry.
sección, *f.*, section, page *or* column (*in a newspaper*).
seco, –a, dry, dryly, short, curt(ly).
secretaría, *f.*, secretaryship.
secretario, –a, *m. and f.*, secretary; **—a mecanógrafa,** typist-secretary.
secreter, *m.* (*for French "secrétaire"*), secretary.
secreto, *m.*, secret.
seda, *f.*, silk.
seguida; en —, at once, immediately.
seguido, –a, successive, in succession.
seguir, to follow, continue, go on, remain, sustain.
según, according (to), as.
segundo, *m.*, second, instant.
segundo, –a, second.
seguridad, *f.*, safety, certainty, assurance.
seguro, –a, sure, safe, certain; **de —,** surely, certainly.
seis, six.
sello, *m.*, stamp.
semana, *f.*, week; **las —s enteras,** weeks at a time; **la — que viene,** next week.
semanario, *m.*, weekly.
sencillamente, simply.
sencillo, –a, simple.
sensible, sensitive.
sentado, –a, seated.
sentar, to seat, become: **—se,**

to sit (down), sit up; — **a uno**, to agree with; **¿ no se sientan ustedes ?** won't you sit down ?; **le sienta muy mal**, is very unbecoming.
sentido, *m.*, sense.
sentimental, sentimental.
sentimentalismo, *m.*, sentimentality.
sentimentalmente, sentimentally.
sentimiento, *m.*, sentiment, emotion, sentimentality.
sentir, to feel, to be sorry.
seña, *f.*, sign; **—s**, address; **por más —s**, to be more specific.
señal, *f.*, sign, indication, mark, scar.
señalar, to point to, point out, indicate.
señor, *m.*, Mr., sir, lord, Lord, gentleman; (*sometimes a mere interjection*, i.e. *p. 99, l. 8*); **nuestro — hermano**, our dear brother (*iron.*); **el — director**, the worthy editor; **— mío**, my dear sir.
señora, *f.*, lady, madam, Mrs., wife; **la — doncella** (*iron.*), her ladyship, the maid; **muy gran —**, very much the great lady.
señorita, *f.*, Miss, young lady.
señorito, *m.*, master, Mr.
separarse, to move away, separate.
ser, *m.*, being.
ser, to be, become.
serenamente, serenely, calmly.
sereno, *m.*, night-watchman.
sereno, -a, calm.
seriedad, *f.*, seriousness.
serio, -a, serious; **en —**, seriously.
servidor, *m.*, servant, I (*in the deferential speech of a servant*).
servidora, *f.*, servant; **esta —**, your humble servant, "yours truly," I.
servir, serve, be of use, be good (for); **sirva para leer**, enables to read; **¿ cree usted que no sirvo ?** do you think I can't do it ?
sesenta, sixty; **el — y cinco**, the year 1865.
seso, *m.*, brain.
seudónimo, *m.*, pseudonym.
severamente, severely.
severidad, *f.*, severity.
sexo, *m.*, sex.
si, if.
sí, yes, indeed, so, to be sure (*the ponderative* **sí** *is often best translated by stress of voice*); **dar el dulce —**, to accept (*a suitor*), consent; **eso — que no**, that never.
sí, himself, herself, yourself, themselves.
siempre, always, still; **— que**, whenever.
siga, *see* **seguir**.
siglo, *m.*, century, age.
sigue, *see* **seguir**.
silencio, *m.*, silence; **en —**, silent.
silencioso, -a, silent, quiet.
silla, *f.*, chair.
sillón, *m.*, arm-chair.

simpatía, *f.*, sympathy.
simpático, –a, likable, lovable, "nice," pleasant, friendly.
sin, without; — **que,** without.
sinceramente, sincerely.
sincero, –a, sincere.
sino, but; — **que,** but.
sinvergüenza, *m. and f.*, rascal, shameless person.
siquiera, even, at least.
sirva, *see* **servir.**
sitio, *m.*, place; **en su —,** in order.
situación, *f.*, situation.
smoking *m.* (*English*), dinner coat, tuxedo.
snobismo, *m.*, snobbishness.
sobra, *f.*, surplus; **de —,** very well, only too well.
sobre, *m.*, envelope.
sobre, on, upon, over, above.
sobresaliente, excellent; **con — en el título,** with honors.
sobresaltado, –a, startled.
sociedad, *f.*, society.
soco . . ., *see* **socorro.**
socorrer, to succor.
socorro, *m.*, help; **casa de —,** dispensary.
sofá, *m.*, sofa.
sol, *m.*, sun.
solamente, only.
soler, to be accustomed, to (do) generally.
solicitar, to solicit, ask for, apply for.
solícito, –a, solicitous(ly).
solito, –a, all alone, by oneself.
solo, –a, alone, single.
sólo, only.
soltar, to loosen, let go (of), put down, drop.
sollozo, *m.*, sob.
sombra, *f.*, shadow.
sombrero, *m.*, hat.
sombrilla, *f.*, parasol.
son, *m.*, sound, tone; **en — de desafío,** challengingly, defiantly.
sonar, to sound, ring, make a noise, bang.
sonreír, to smile.
sonriente, smiling, cheerful.
sonrisa, *f.*, smile.
soñador, *m.*, dreamer.
soñador, –ra, reminiscent(ly), dreamy, full of fancies.
soñar, to dream; — **con,** to dream of.
sopa, *f.*, sop; **me voy a poner hecho una —,** I am going to get sopping wet.
soplar, to blow.
soportar, to endure, bear.
sorna, *f.*, slowness, slyness, pretended seriousness; **con —,** dryly, sarcastically; **con — amable,** with good-natured raillery.
sorprender, to surprise.
sorprendido, –a, surprised.
sorpresa, *f.*, surprise.
sospechar, suspect.
sostener, to support, hold up, hold.
su, his, her, their, your, its.
suave, soft, gentle.
suavemente, gently.
suavidad, *f.*, gentleness; **con —,** gently.
suavizarse, to soften.

subir, to climb, go up; **—se,** to climb; **—se a la cabeza,** to go to one's head.
súbito, –a, sudden.
sublime, sublime.
subrayar, to underline, emphasize.
subsistencia, *f.*, living; **—s,** living.
suceder, to succeed, follow, happen; **¿qué le sucede?** what is the matter?
sueldo, *m.*, salary.
suelo, *m.*, ground, floor; *see* **pisar.**
suelto, –a (*past part. of* **soltar**), loose; **el pelo que ella lleva —,** her hair which is hanging loose.
sueño, *m.*, dream, sleep; **tener —,** to be sleepy.
suerte, *f.*, fortune, (good) luck; **— que,** fortunately.
suficientemente, sufficiently.
sufrir, to suffer, endure.
sugestionado, –a, impressed.
sujetar, to hold.
sumamente, extremely.
sumiso, –a, submissive.
superferolíticas (*a word coined by Amalia*), "super-fancy," "hifalutin."
superior, superior; **muy mujer —,** very much the superior woman *and so* very arrogantly.
superioridad, *f.*, superiority.
supiera, *see* **saber.**
suplicante, beseeching(ly).
suplicar, to beg, entreat.
suponer, to suppose.
supremo, –a, supreme.
supuesto, –a (*past part. of* **suponer**); **por —,** of course, to be sure.
surgir, to rise, spring up, bloom.
susceptibilidad, *f.*, susceptibility, sensitiveness.
susceptible, sensitive.
suspender, to fail.
suspirar, to sigh, long.
suspiro, *m.*, sigh.
sustituir, to replace.
sustituta, *f.*, substitute.
susto, *m.*, fright.
suyo, –a, his, her, your, its, their; **lo —,** *see* **pasar; que no son lo —,** which are not her style.

T

tabaco, *m.*, tobacco.
tableta, *f.*, top.
tacaño, –a, stingy.
tafetán, *m.*, court-plaster.
tal, such (a); **de — modo, so** well.
talento, *m.*, talent.
tal vez, perhaps.
talla, *f.*, carved work (*of wood*, etc.).
también, also, too.
tampoco, neither, (not) . . . either, no; **¿—?** not that either?
tan, so, as (much), very, such (a).
tantísimo, –a, so very much.
tanto, –a; so much, as much; *pl.* so *or* as many; **por lo —,**

therefore; *see* **atreverse**; **ni — así,** not that much (*accompanied by a gesture*); **no —**, not so bad (serious) as that; **— . . . como,** as well . . . as, either . . . or; (*as adv.*) so, so much.
tapón, *m.*, stopper.
taquigrafía, *f.*, shorthand, stenography.
tardar, to delay, be late; **— en (volver)**, be long in (returning).
tarde, late.
tarde, *f.*, afternoon.
tarea, *f.*, task.
Tauste, *proper name.*
te, *m.*, tea.
te, you, to you.
teatro, *m.*, theatre.
techo, *m.*, ceiling.
tela, *f.*, cloth.
teléfono, *m.*, telephone.
telegrama, *m.*, telegram.
telón, *m.*, curtain; *see* **levantar.**
tembloroso, –a, tremulous, trembling.
temer, to fear.
temor, *m.*, fear.
tempranito, very early.
temprano, early.
tenaz (*pl.* **tenaces**), tenacious, persistent, clinging.
tender, to stretch; **— un lazo,** to lay a snare.
tendido, –a, stretched out, lying.
tener, to have, hold, keep; **— miedo,** to fear, be afraid; **— que,** to have to, be obliged to; **— sueño,** to be sleepy; *see* **gana, acostumbrado, gloria**; **— a bien,** to be kind enough to, be pleased to; **— la bondad de,** please, be so kind (as to); *see* **confianza**; **ahí le tienes,** here he is; *see* **rabia.**
tenor, *m.*, tenor.
tercero, –a, third.
terciopelo, *m.*, velvet.
terco, –a, obstinate, stubborn.
terminar (**de**), to finish.
término, *m.*, term; (*theatre*) **primer —**, front of the stage, down stage; **último —**, back (of the stage).
ternura, *f.*, tenderness.
terrible, terrible.
terrón, *m.*, lump.
terror, *m.*, terror.
testarudo, –a, obstinate, headstrong.
testigo, *m.*, witness.
ti, you.
tiempo, *m.*, time, weather; **a —**, in time, at the right time; **a un —**, together, at the same time; **por más —**, (any) longer.
tienda, *f.*, shop; **ir de —s,** to go shopping.
tiento, *m.*, touch, feeling; **andar a —as,** to grope one's way; **buscar a —**, to grope for.
tierra, *f.*, earth.
tiesto, *m.*, earthen pot; **— en flor,** pot of flowers.
tijeras, *f. pl.*, scissors; **— de cortar papel,** desk-shears.
timbre, *m.*, bell.
timidez, *f.*, timidity.

tinta, *f.*, ink.
tiple, *f.*, soprano; **primera —,** star.
tipo, *m.*, type, appearance.
tirado, –a, scattered.
tiranía, *f.*, tyranny.
tirano, *m.*, tyrant.
tirar, to pull, throw (at) (down); **— por la ventana,** squander, throw through the window; **— de la oreja a Jorge,** to gamble; **me tira usted,** you are pulling my hair.
tirón, *m.*, pull; **va usted a sufrir —es espantosos,** I am going to pull your hair dreadfully.
título, *m.*, degree, diploma.
toalla, *f.*, towel.
tocar, to touch.
todavía, still, yet.
todo, –a, all, every, great, any; **—as las noches,** every night.
todo, all, anything, everything; **del —,** altogether, quite; **— lo que,** how much, all that.
tomar, to take; **toma (tome),** here (you are); **— arranque,** to "work up steam," get a running start; *see* **aire;** *see* **berrinche;** *see* **pelo.**
tono, *m.*, tone.
tontamente, foolishly.
tontería, *f.*, foolish thing, nonsense.
tonto, –a, stupid, silly; **ponerte —a,** to make a fool of yourself; **de —a que es,** silly thing that she is.
torbellino, *m.*, whirlwind.
torcer, to twist, bend.
torero, *m.*, bull-fighter.
tormenta, *f.*, storm.
toro, *m.*, bull; **jugar al —,** to play at bull-fighting.
Torralba, *proper name.*
torrencial, torrential.
toser, to cough; **cualquiera te tose,** no one will "have anything" on you (*slang*).
trabajar, to work.
trabajo, *m.*, work.
traer, to bring, lead, contain, have, wear; **trae (acá),** bring it here, come here (with it); *see* **cuidado; ¡traiga usted!** give (them) here.
tragar, to swallow, believe.
traje, *m.*, costume, suit, garb, dress; **— de etiqueta,** evening clothes; **— de media etiqueta,** semi-formal clothes; **— sastre,** tailored suit.
trajín, *m.*, lot of work, frightful task, going and coming, movement.
tranquilidad, *f.*, calmness.
tranquilizar, to calm.
tranquilo, –a, calm(ly), in peace.
transigir, to accept, put up with.
trasto, *m.*, piece of furniture, bric-a-brac.
trastornado, –a, much distressed.
trastorno, *m.*, confusion, trouble, bother.
tratar (de), to treat; **—se,** to be a question (of).
trecho, *m.*, space; **a —s,** at intervals, here and there.

treinta, thirty.
tremendo, –a, tremendous, terrible.
tren, *m.*, train; **en — de marcha,** about to leave.
trenza, *f.*, braid.
trepar, to climb (up).
tres, three; **— eran —,** once there were three; **¡ a los — !** all three !
trescientos, –as, three hundred.
trifulca, *f.*, trouble, quarrel.
triste, sad; **lo —,** the sad thing, sad part (of it).
triunfador, *m.*, conqueror, winner.
triunfante, triumphant.
triunfar, to triumph, win, succeed.
triunfo, *m.*, triumph.
tropezar, to stumble, fall upon, touch.
tropezón, *m.*, stumble; **dar infinitos —es,** to stumble often, make many mistakes.
trueno, *m.*, thunder-clap, (peal of) thunder.
tu, your.
tú, you.
tul, *m.*, net, tulle.
tumbado, –a, lying.
tumbarse, to lie down.
tuyo, –a, your, yours.

U

u, or.
Ud., *see* **usted.**
¡ uf ! (*exclamation of disgust*), gee ! gracious ! goodness ! whew !
último, –a, last, final.
ultra, ultra.
un, –a, a, an; *pl.* some, a few.
únicamente, only.
único, –a, only; *as pron.* only one, rare, unique; **lo —,** the one thing, the only thing.
uno, –a, one; *pl.* some; **a la —a, a las dos . . .,** one, two . . .; **— a —,** one at a time.
urdir, to plan, plot.
urgente, urgent.
usar, to use.
uso, *m.*, use, enjoyment.
usté, *see* **usted.**
usted, you.

V

vacante, vacant.
vacilar, to hesitate.
valer, to be worth; **— más,** to be better, be the best thing.
valor, *m.*, courage, heart, value; **— de realidad,** real value.
¡ vamos ! *see* **ir.**
vanidad, *f.*, vanity.
vapor, *m.*, faintness; **—es,** vertigo, dizzy spell.
vara, *f.*, yard (*2.78 ft.*); **dos —s de alto,** two yards' distance.
varios, –as, several.
vaso, *m.*, glass.
vaya, *see* **ir.**
vecino, *m.*, neighbor.
veintidós, twenty-two.
veintitrés, twenty-three.
velar, to stay up *or* awake, watch.
velillo, *m.*, veil.
velito, *m.*, veil.

velo, *m.*, veil.
vencer, to conquer, overcome.
venda, *f.*, bandage.
vender, to sell.
Venecia, Venice.
vengarse (de), to avenge oneself (on).
venir, to come; *see* **año, casta, llegar, caer; Rosario viene con traje sastre,** Rosario is wearing a tailored suit; **el pobre viene herido,** the poor fellow is injured.
ventaja, *f.*, advantage.
ventajoso, –a, advantageous, favorable.
ventana, *f.*, window.
ver, to see; **a —,** let's see; see (*imper.*); **a — si,** look out or; **¡ ahí verá usted !** you'll find out some day, perhaps; that's the way it was.
veras, *f. pl.*, reality, truth; **de —,** really, truly; **va de —,** is real *or* serious.
verdad, *f.*, truth, true; **es —,** that is so, that's true; **¿ de — ?** really ?; **¿ — ?** isn't it ? does he ? *etc.*
verdaderamente, truly, really.
verdadero, –a, real, true.
verde, green.
vergüenza, *f.*, shame, modesty, sense of shame.
verso, *m.*, verse.
vertiginosamente, madly, at great speed.
vértigo, *m.*, giddiness, faintness.
vestíbulo, *m.*, vestibule.
vestido, –a, dressed (as).
vestirse, to dress (oneself); **— con,** to wear.
vez, *f.* (*pl.* **veces),** time; **una —,** once; **las veces,** how many times; **de una —,** once for all; **a veces,** sometimes; **otra —,** again; **una sola —,** but once; **cada — más,** more and more.
víctima, *m.*, victim; **con voz de —,** with a martyr-like voice.
vida, *f.*, life, living.
vidita, *f.*, life, fine life.
vieja, *f.*, old woman.
viejecito, –a, *m. and f.*, old man *or* woman.
viejo, *m.*, old man.
viejo, –a, old, old-fashioned.
viento, *m.*, wind; **hacer —,** to be windy.
violencia, *f.*, violence; **con —,** violently.
violentamente, violently, suddenly, roughly.
violento, –a, violent.
violeta, *f.*, violet.
virgen, *f.*, virgin; **— del Carmen,** *untranslatable exclamation.*
visillo, *m.*, curtain, sash-curtain.
visita, *f.*, visit, call; **ir a una —,** to go to make a call; **estar de —,** to be making a call; **en — correctísima,** very formally.
visitante, *m. and f.*, visitor.
visitar, to visit, call on.
vista, *f.*, sight, eyes; **en — de,** in view of; **punto de —,** viewpoint; *see* **buscar.**

visto (*past part. of* **ver**); **por lo —**, apparently, evidently.
vistoso, -a, showy, flashy.
viuda, *f.*, widow.
viudedad, *f.*, widow's pension *or* income.
vivamente, quickly.
viveza, *f.*, animation, liveliness.
vivir, to live.
vivo, -a, bright.
volar, to fly, be blown away; *see* **entrar.**
voluntad, *f.*, will.
volver, to return, come back, come home, turn (around); **— a salir,** *etc.*, to come out (*etc.*) again; *see* **cara; —se,** to turn around, return.
vosotros, -as, you.
voz, *f.* (*pl.* **voces**), voice; *see* **víctima.**
vuelta, *f.*, turn; **dar media —,** to turn half over (*or* around); **buscarle las —s,** to try to get around him.
vuelto, -a (*past part. of* **volver**), turned, returned.
vuestro, -a, your.
vulgar, common, commonplace, vulgar.
vulgaridad, *f.*, vulgarity.

Y

y, and.
ya, now, already, presently, yet, at last, then, (*frequently not translated*); **¡ — voy!** coming!; **— no,** no longer; **— lo sé,** I know it; **¡ — !** I see!
yo, I.

Z

zapato, *m.*, shoe.
zona, *f.*, zone.

habla   hablad

No hables   No habléis

~~saligo~~